Destination L

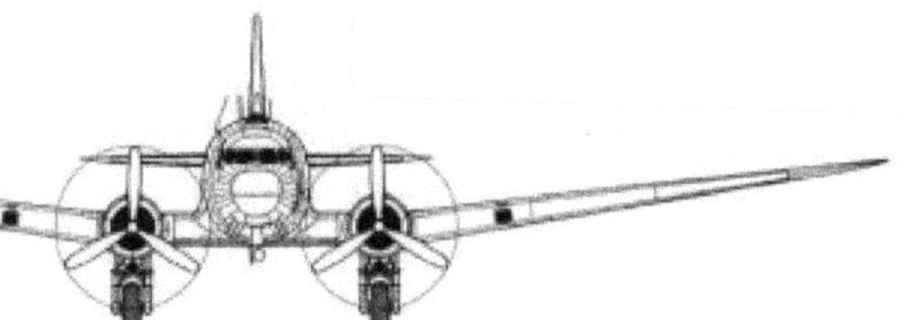

Destination La Havane

Francisco Angulo de Lafuente

Published by Charles Scribner's & Company, 2023.

This is a work of fiction. Similarities to real people, places, or events are entirely coincidental.

DESTINATION LA HAVANE

First edition. September 13, 2023.

ISBN: 979-8223190448

Written by Francisco Angulo de Lafuente.

Table des Matières

Destination La Havane 1
Préface 2
Avant-propos 5
Chapitre 1 7
Chapitre 2 18
Chapitre 3 31
Chapitre 4 48
Chapitre 5 54
Chapitre 6 61
Chapitre 7 66
Chapitre 8 70
Chapitre 9 78
Chapitre 10 80
Chapitre 11 85
Chapitre 12 88
Chapitre 13 92
Chapitre 14 95
Chapitre 15 98
Chapitre 16 102
Chapitre 17 113
Chapitre 18 123
Chapitre 19 129
Chapitre 20 134
Chapitre 21 137
Épilogue 139
Remerciements 143
Annexe visuelle 144
Bücker Bü 131 Jungmann 145
Junkers Ju 52 148
Heinkel He 111 152
Douglas DC-3 Skytrain 155

Caravelle 160
McDonnell Douglas DC-10 166
Boeing 747 Jumbo 170
A propos de l'auteur 174

Francisco Angulo de Lafuente

Préface

Le roman de Francisco Angulo, « Destination La Havane », nous plonge dans le quotidien palpitant d'Alfonso Nuñez Balboa, ancien commandant de bord chez Iberia cumulant plus de 25 000 heures de vol. À travers ce récit à la première personne, l'auteur nous transporte dans l'Espagne des années 1930 à 1960 et nous fait revivre l'âge d'or de l'aviation commerciale à travers le regard émerveillé de son héros.

Nuñez est originaire d'un petit village de la province de Teruel en Aragon. Dès son plus jeune âge, il est fasciné par le vol des avions qui survolent son école. Cette vocation précoce le poussera à s'engager dans une académie militaire dès ses 18 ans pour devenir pilote. Ses premières années au sein de l'armée espagnole ne seront pas de tout repos. Nuñez devra faire preuve de persévérance et d'abnégation pour gravir les échelons et devenir radio navigateur.

Ses premières missions le plongeront au coeur de situations rocambolesques, à commencer par un vol mouvementé au sein de l'escadron surnommé "Groupe 14", composé d'un équipage pour le moins insolite. Par la suite, Nuñez participera à la Guerre d'Ifni et à la Crise des missiles de Cuba, deux conflits majeurs du 20ème siècle.

Progressivement, Nuñez passera du monde militaire à l'aviation commerciale en intégrant la compagnie Iberia. Là encore, ses talents de pilote seront mis à rude épreuve. Il lui faudra faire preuve de sang-froid et de promptitude pour éviter le pire. Ses missions le mèneront aux quatre coins du globe, de l'Amérique du Sud à l'Europe en passant par le Canada. Chaque vol est l'occasion pour Nuñez d'accumuler de l'expérience et d'assouvir sa passion du ciel.

Avec humilité et justesse, Angulo brosse le portrait d'un homme ordinaire qui a réussi à réaliser ses rêves. Derrière le personnage fabuleux du pilote, l'auteur nous dépeint un homme humble issu d'un milieu modeste, profondément attaché à ses origines. Les questionnements existentiels de Nuñez sur le sens de la vie résonnent en chacun de nous.

De par la diversité des situations auxquelles est confronté le héros, chacun peut s'identifier à l'un ou l'autre aspect de sa personnalité. Nuñez fait preuve d'un optimisme à toute épreuve devant l'adversité. Son goût du risque et son esprit d'aventure font écho à l'âme de découvreur qui sommeille en nous. Enfin, l'attachement viscéral de Nuñez à ses proches éveille notre fibre sentimentale.

Avec ce roman prenant et original, Francisco Angulo réussit le pari de nous faire revivre l'âge d'or de l'aviation à travers un personnage attachant. Porté par une plume alerte et une documentation fouillée, l'auteur nous offre une oeuvre qui saura séduire un large public, des passionnés d'aviation aux amateurs de grandes sagas familiales.

Louis Fruinel
Ecrivain

• • • •

Prologue

UN PETIT AVION SURVOLAIT l'école ce jour-là, attirant tous les regards émerveillés des enfants. Nuñez était l'un d'eux. À cet instant précis, en observant la fragile machinerie fendre le ciel d'un bleu limpide, une certitude s'imposa à lui : quand il sera grand, il sera pilote d'avion.

L'enfance de Nuñez n'a pourtant rien d'un long fleuve tranquille. Dans l'Espagne rurale des années 1930, sa famille connaît de graves difficultés financières. Parfois, trouver de quoi se nourrir relève du défi quotidien. Pourtant, le père de Nuñez croit dur comme fer que l'instruction est le seul moyen pour son fils d'échapper à la misère. Il l'encourage à poursuivre l'école, faisant fi de l'usage qui veut que les garçons deviennent ouvriers dès l'âge de dix ans.

La ténacité et la curiosité intellectuelle de Nuñez font le reste. À quinze ans, il est sûr de sa vocation : il sera pilote d'avion. Lorsqu'il atteint la majorité, il s'engage dans une académie militaire pour devenir pilote. Ses débuts sont difficiles. Ses premières missions au sein de l'armée de l'air espagnole le confronteront à des situations de vie ou de mort.

Mais Nuñez est un battant. Il gravit progressivement les échelons pour devenir radio navigateur, puis pilote. Ses talents sont remarqués et il intègre finalement la compagnie aérienne Iberia. Aux commandes des plus grands appareils de l'époque, Nuñez réalise son rêve de gosse. Il sillonne le monde, de l'Amérique du Sud aux États-Unis, accumulant les heures de vol.

Derrière l'aventure, Nuñez reste un homme humble etattaché à ses racines. Son histoire, c'est celle d'un enfant pauvre qui a réussi à s'arracher à son milieu grâce au courage et à la persévérance. Un destin hors du commun raconté avec brio par Francisco Angulo. Accrochez vos ceintures, vous embarquez pour un formidable voyage !

Michel Dupont
Ecrivain

Avant-propos

Le 25 septembre 2010, j'ai été invité par Antonio J. Nevado et Ana Sevilla à l'une des conférences que le Mouvement Ecofa organise habituellement à des fins d'information. À cette occasion, Antonio Pasalodos a présenté un véhicule solaire électrique et j'ai ensuite parlé du kit de plongée Nautilus Diver, un prototype qui permet de plonger de manière autonome sans avoir besoin de bouteilles. Les participants ont adoré les deux nouvelles propositions et après la conférence, nous nous sommes tous réunis et avons testé la voiture de Pasalodos dans les rues de Soto de la Vega. C'est alors qu'Alfonso Nuñez m'a abordé, que je connaissais par notre participation au projet Ecofa. Son père, qui l'accompagnait, m'a félicité pour mon exposé et a commencé à partager certaines de ses idées. J'ai immédiatement senti que c'était quelqu'un de spécial, le genre de personne qui a vécu de nombreuses aventures, probablement plus incroyables que beaucoup des récits fictifs que je raconte habituellement dans mes romans. Je lui ai demandé sa profession et il a répondu qu'il avait été pilote.

- Quel type d'avion avez-vous piloté ?

- Eh bien, pour être honnête, presque tous, des avions militaires pendant la Seconde Guerre mondiale, au fameux Jumbo, le Boeing 747.

Je suis un passionné d'aviation depuis aussi longtemps que je me souvienne, et j'ai passé des années à m'amuser avec l'idée d'écrire un roman sur le sujet mais je m'étais toujours senti intimidé par la complexité du sujet et jamais assez préparé pour m'y attaquer.

Laissons de côté le sujet de la plongée pour le moment et commençons à parler avec passion d'aéronautique. Je lui ai dit que j'étais pilote d'ULM et que j'avais même un modèle fabriqué par la société russe MIG, dans lequel j'ai commencé à faire de l'acrobatie. Il m'a décrit comment poser un 747 et m'a progressivement donné de petits extraits de ses expériences. Le temps a filé et la salle a dû fermer. J'ai été forcé de dire au revoir et de partir. Mais le destin a voulu que nous nous croisions à nouveau à l'hôtel. Là, j'ai saisi l'occasion de continuer à écouter certaines de ses fabuleuses aventures. À partir de ce moment, j'ai su que je devais écrire un livre, je ne savais juste pas par où commencer. J'ai toujours été un auteur de science-fiction et cela serait une biographie ou un roman historique. Alors, pourquoi ne pas profiter de ma capacité et mélanger fiction et réalité ?

Je ne savais pas comment m'y prendre, et surtout, je n'avais pas encore parlé à Nuñez pour voir s'il serait d'accord pour partager sa vie avec moi et le monde.

Cette nuit-là dans ma chambre, j'ai commencé à prendre des notes sur des serviettes en papier et je ne suis pas allé me coucher avant d'avoir ébauché l'intrigue de mon prochain roman. Le lendemain matin, j'ai entendu la famille Nuñez quitter la chambre à côté. Je ne pouvais pas rater cette occasion car je n'en aurais probablement plus jamais une comme celle-ci de ma vie. Alors je me suis rapidement habillé et je suis allé au café. Là, je l'ai rencontré à nouveau et me sentant très nerveux et ne sachant pas quoi dire, je lui ai parlé de mon idée d'écrire un roman basé sur ses expériences.

- J'y ai réfléchi et, voyez-vous, j'écris des romans, alors j'ai pensé que je pourrais écrire quelque chose sur votre vie.

- Pourquoi ne venez-vous pas un jour chez moi et nous en parlerons autour d'un déjeuner ?

- Bien sûr !

- Mais faites vite, je suis trop vieux et n'ai pas de temps à perdre !

Chapitre 1

Comme toute bonne histoire qui se respecte, mieux vaut commencer par le commencement.

Mon père était un homme fort aux mains habiles qui essayait de gagner sa vie du mieux qu'il pouvait. Il avait l'habitude de trouver des petits boulots temporaires déchargeant des camions mais ils ne duraient pas longtemps et il devait voyager de village en village à la recherche de travail pour éviter de se retrouver constamment au chômage. À cette époque, mon monde était assez petit et bien que je l'accompagne parfois dans les villes voisines, dans mon esprit, je ne pouvais pas imaginer qu'il existe autre chose au-delà de l'Aragon.

Les transports motorisés étaient rares et très souvent, la conduite des camions était généralement laissée aux ingénieurs des usines. Après avoir passé un été à décharger des poutres de fer et noué une solide amitié avec Matías, l'ingénieur de la fonderie, mon père a réussi à obtenir une place dans le camion. C'est comme ça que les choses se faisaient à l'époque. Mon père avait vu Matías conduire pendant des milliers d'heures, il était donc prêt à prendre le volant. C'était la première fois qu'il parvenait à travailler pendant plus de trois mois consécutifs. C'étaient des temps difficiles. Après la guerre, le pays était ravagé par la crise. Finalement, les choses ont commencé à bien se passer, bien que mon père se souciait plus de ces problèmes que moi. Après tout, j'étais juste un enfant et mes priorités étaient d'aller en classe, de rendre mes devoirs à temps et d'espérer ne pas être malmené pendant la récréation. Mon institutuer, grand et fort comme un chêne, s'était rasé le crâne car en plus d'être instituteur, il était aussi moine.

Nous étions en plein cours de mathématiques un jour quand nous avons entendu un fort bourdonnement s'approchant de nous à grande vitesse. Don Roberto a regardé par la fenêtre et dans le ciel, il a vu un petit avion s'approcher au loin.

- Sortons tous pour le voir ! - dit-il en ouvrant la porte sur la cour.

Les moteurs du petit avion rugissaient assourdissamment mais il semblait néanmoins avancer à une vitesse très lente. Nous avons tous levé les yeux vers le ciel en nous protégeant avec la paume de la main pour éviter que le soleil nous aveugle.

- Vous voyez, les garçons ? C'est à cela que servent les maths. Si vous étudiez beaucoup, un jour vous deviendrez ingénieurs ou, qui sait, mécaniciens ou pilotes peut-être.

Nous avons tous suivi le vol en tournant la tête comme le font les tournesols dans leurs champs. Quand j'ai regardé par-dessus la clôture, j'ai immédiatement vu une silhouette qui me semblait familière. Que faisait mon père à la grille de mon école ?

- La classe est finie maintenant les garçons, n'oubliez pas d'apporter vos devoirs demain, écrits avec une belle écriture.

Quelque chose n'allait pas, j'en étais sûr. Généralement, je rentrais à pied avec mon voisin Jorge jusqu'à la porte de chez moi mais parfois ma mère venait me chercher, surtout quand elle avait cuisiné un ragoût pour le dîner afin que je ne m'attarde pas en chemin et n'arrive pas à la maison quand la nourriture était déjà froide. Il n'était pas du tout inhabituel que Jorge et moi nous lancions dans quelque aventure et ne réalisions que nous étions attendus pour le déjeuner que lorsque nos ventres gargouillaient de faim.

- Comment s'est passé le cours de maths ? - demanda mon père en forçant un sourire.

- Qu'est-ce qui s'est passé ?

- Rien, pourquoi quelque chose se serait-il passé ? J'étais sur le chemin du retour et je suis passé devant ton école.

- Et comment se fait-il que tu ne travailles pas ?

- Vois-tu, il y a eu un incident à l'usine...

- Ne me dis pas que tu es à nouveau au chômage.

- Ne t'inquiète pas, demain j'irai parler aux gens qui travaillent sur le canal, je suis sûr qu'ils ont besoin de travailleurs qualifiés là-bas.

Matías n'était pas une mauvaise personne mais en cette occasion, il s'est montré lâche. La veille au soir, il avait trop bu de vin et le matin, il pouvait à peine tenir debout. La gueule de bois faisait des ravages et comme son corps était privé de tout l'alcool, il tremblait et avait des spasmes. La seule façon possible de s'habiller et d'arriver au travail à l'heure était de prendre un ou deux petits verres d'eau-de-vie au café et c'est précisément cela qui l'a empêché de voir l'entrée du garage et d'écraser le camion contre le mur. Avant de perdre son emploi à l'usine et de voir la grosse somme d'argent que coûterait la réparation de la porte déduite de son salaire, Matías a pensé qu'il valait mieux que ce matin-là, ce soit mon père qui conduise.

Le canal impérial d'Aragon était utilisé pour transporter des charges lourdes. D'énormes péniches étaient chargées de betteraves et d'autres produits saisonniers. L'état des routes était très mauvais. En fait, elles ne méritaient même pas d'être appelées routes car il s'agissait surtout de chemins de terre l'été et de rivières de boue l'hiver. Un camion aurait à peine réussi à gravir les pentes, même sans chargement.

Pascasio était un homme fort et trapu, presque aussi large que haut. Son bureau - si on pouvait appeler ainsi la petite maison en pierre construite sur les berges du canal - était chaotique. Pascasio avait travaillé toute sa vie à s'occuper de mulets mais maintenant que la flotte de péniches avait été déployée, le directeur avait besoin d'un homme expérimenté en qui il pouvait avoir confiance pour coordonner toutes les opérations. Il savait à peine lire et écrire car il n'était jamais allé à l'école mais ça n'avait guère d'importance - il était capable de tracer tous les mouvements des bateaux dans sa tête, mémorisant les tonnes transportées par chacune des péniches ainsi que leurs heures de départ et d'arrivée. Il savait tout ce qu'il y avait à savoir sur chacun des hommes qui travaillaient sur le canal et il connaissait même chaque mulet par son nom. Il pensait que ces animaux avaient besoin d'une attention particulière car ils étaient le moteur de ces énormes navires.

Il était sept heures et le ciel noir parsemé d'étoiles semblait réticent à laisser place au nouveau jour. Fin octobre, les arbres vêtus de couleurs orange et jaune, comme s'ils étaient en feu. Après cela, leurs feuilles fanées tomberaient au sol, formant un tapis aux motifs variés. Il y avait un petit poêle en fonte dans le bureau, un vrai régal pour Pascasio, habitué toute sa vie à supporter les intempéries à l'extérieur. Il n'aimait pas l'allumer avant début novembre, après la Toussaint, mais ce matin il faisait plus froid que d'habitude et il n'arrivait pas à se réchauffer les mains. Maintenant, son travail était bien plus confortable mais il ne pouvait se défaire du sentiment que l'argent qu'il gagnait n'était pas tout à fait honnête parce qu'il n'investissait aucun effort physique pour le faire. Au moment où il s'apprêtait à jeter une bûche dans le poêle, la porte s'ouvrit. Il lâcha la bûche, effrayé, comme s'il avait été pris en flagrant délit, et regarda nerveusement mon père.

- Bonjour Pasca, quelle horrible matinée froide ! On se croirait au Pôle Nord !

- Oui, il fait froid et il reste une semaine avant la Toussaint, dit-il en reprenant le morceau de chêne et en le jetant dans le poêle. Il alluma ensuite une allumette qui tomba au fond où attendaient des restes de charbon de l'hiver dernier. Les deux hommes s'approchèrent de la chaleur en tendant les mains à un pied du métal semi-incandescent.

- Comment se passe le travail ? J'ai entendu dire que vous manquiez d'ouvriers.

- Il y a encore du travail mais la partie la plus chargée de la saison est passée... C'est de plus en plus avantageux de transporter les marchandises par le train, nous allons bientôt devoir trouver autre chose à faire.

Mon père retint son souffle un instant et pensa qu'ils devraient revenir à leurs vieilles habitudes, errant de village en village à la recherche d'un travail qui nous permettrait de survivre pendant l'hiver.

Pascasio connaissait les difficultés que nous endurions. Les rumeurs sur l'accident de camion s'étaient répandues comme une traînée de poudre mais tous ceux qui connaissaient Matías imaginaient comment l'incident s'était vraiment produit. Il avait aussi entendu dire que mon père était un très bon travailleur.

- Ce n'est pas le bon moment pour embaucher de nouvelles personnes - pas seulement parce que c'est la basse saison mais aussi parce que tu devrais apprendre le métier rapidement avant que le mauvais temps ne s'installe. L'hiver arrivera tôt cette année et tu dois savoir comment affronter le vent, la boue et la pluie - je ne veux pas avoir à te sortir du fond du canal.

- Ne vous inquiétez pas, je travaille dur et j'apprends vite...

- Je sais, alors je ferai une exception.

Progressivement, les choses ont commencé à s'améliorer. Mon père avait un travail stable et j'étudiais autant que je pouvais. L'hiver est arrivé tôt et mon père a dû supporter le froid. En décembre, il était impossible de rester immobile sans attraper des engelures. Mon père avait l'habitude d'emporter dans sa gamelle un morceau de pain, un morceau de fromage et parfois une saucisse de chorizo. S'asseoir pour manger dehors était une absurdité, alors ce jour-là il a profité d'un des coins de la péniche où il était à l'abri du vent.

- Juanito, tu t'occupes des mulets, c'est mon tour de manger. Assure-toi qu'ils ne s'affolent pas.

- Oui, oui, bien sûr.

Juanito avait plus de quarante ans mais son esprit était toujours celui d'un enfant de quatre ans. Des rumeurs couraient dans le village selon lesquelles il était comme ça parce que ses parents étaient cousins germains, cependant d'autres prétendaient que Juanito était né et avait grandi normalement mais qu'à l'âge d'environ six ans, il avait eu de très fortes fièvres qui avaient failli le tuer.

Son travail n'impliquait pas grand-chose, en fait, les mulets étaient très calmes, et ils ne s'effrayaient que parfois en entendant le train passer sur le canal. Mon père avait l'habitude de s'asseoir sur la cargaison en utilisant l'une des bûches de bois comme siège. Il dénouait le petit sac en toile et l'étalait pour révéler un morceau de fromage dur et une tranche de pain rassis. La couleur grisâtre du pain était due au mélange de seigle et de blé. La croûte était quelque peu grossière et le pain lui-même avait un goût acide mais restait tendre pendant plusieurs jours. Le fromage était fabriqué par le chevrier du village bien qu'il utilise généralement un peu de lait pour le rendre plus blanc et lisse qu'un fromage de chèvre ordinaire. Mon père rationnait bien sa nourriture et ne coupait jamais un morceau plus gros que prévu. Bien que la plupart seraient enclins à se réchauffer avec quelque chose de chaud en hiver, il devait manger et retourner au travail rapidement. De toute façon, ma mère, qui pensait toujours à lui, préparait de la nourriture chaude pour le dîner, souvent de la bouillie au lard, un plat consistant qui réchauffait son estomac et lui donnait de l'énergie pour affronter le nouveau jour.

Alors qu'il coupait un morceau de fromage avec sa petite lame de rasoir, quelque chose secoua le bateau. Cela semblait étrange, puisqu'il n'avait rien entendu et que les rails étaient déserts. La péniche oscilla brusquement, cette fois vers l'intérieur du canal à cause de l'effet de rebond de l'étrave qui frappait la berge.

- Juan, attache les mulets !

Il se leva en titubant et vit l'homme essayer de les retenir, mais le poids du bateau était tel qu'il entraînait tous les animaux dans le canal.

- Détache-les ou ils vont se noyer ! - avant qu'il puisse finir de dire ces mots, il sauta à l'eau pour essayer de les libérer.

L'eau était glaciale. En plongeant, il ne ressentit même pas qu'il était trempé. La douleur aiguë était comparable à tomber directement sur un aubépine. Ses mains étaient gelées et n'obéissaient pas à ses ordres, mais en faisant beaucoup d'efforts, il réussit à détacher les animaux et ils nagèrent rapidement vers la berge. Il avait réussi à les sauver. Heureusement, le canal n'était pas très large et la péniche atteignit bientôt l'autre rive où elle s'encastra. Tout l'incident n'était rien de plus qu'un choc qui faisait une belle histoire et un vilain rhume. Le pauvre

Juanito voulait se rendre utile et pensait pouvoir manœuvrer le bateau pendant que mon père déjeunait. Quand les mulets sentirent les coups sur la péniche, ils tirèrent fort mais l'effet de rebond produit par l'énorme poids les entraîna dans l'eau.

Mon père ne connaissait que trop bien les difficultés pour mettre un plat sur la table, surtout sans instruction. Il ne voulait pas de cette vie pour moi, c'est précisément pourquoi il ne me laissait pas aller travailler avec lui, m'obligeant à rester à l'école. C'était très inhabituel à cette époque où tous les garçons entre dix et douze ans étaient rapidement envoyés au travail. Dans mon village, seuls les inaptes continuaient à étudier - si vous aviez un boitement ou une quelconque infirmité, vous feriez mieux d'être un bon élève.

- Va-t'en, tu déranges ! - mon père avait l'habitude de crier car bien que je sois très serviable, il ne voulait pas de moi dans les parages.

Le problème était qu'en règle générale, quand on n'avait pas d'argent, le seul moyen d'étudier était d'entrer dans un séminaire. Et je n'avais pas du tout envie de devenir prêtre. Mais mon père avait d'autres projets pour moi. Il parla à l'instituteur et régla le problème financier. Tout le monde payait trente pesetas par mois à l'enseignant - c'était la somme établie - mais dans notre village, nous manipulions à peine de l'argent et comptions sur le troc. L'instituteur accepta du blé et des œufs de mon père en paiement, qu'il revendrait plus tard dans la ville la plus proche. Lui comme le médecin avaient un salaire de fonctionnaire, mais il était si minable qu'ils pouvaient à peine en vivre, donc ce genre d'échanges n'était pas rare. La pauvreté était la maladie la plus répandue.

L'instituteur était même futé et profitait des caves du monastère pour cultiver des champignons, et il s'en sortait très bien.

L'histoire de la ville était particulière. Située au milieu d'une vallée, dans le temps elle avait été divisée en deux zones distinctes - l'une habitée par des Maures et l'autre, en face, par des Chrétiens. Au fil des années, les Maures avaient dû se convertir au christianisme et, en pénitence, avaient été forcés de porter une croix. Cependant, peu importe les efforts pour les convertir, les musulmans n'en démordaient pas. Ils refusaient de se convertir. Alors le roi eut l'idée de construire un couvent au milieu de leur côté de la ville et au fil des années, réussit à changer leur religion. À tel point qu'un prêtre natif de ce petit village devint pape.

Deux Barrios devait être l'une des plus petites villes d'Aragon, et pourtant, elle avait son propre charme et ses avantages. Toutes les familles étaient autonomes, nous cultivions un peu de tout dans nos petits vergers. J'étais chargé de notre petite parcelle. À onze ans, j'avais l'autorisation de quitter la classe pour apporter à mon père la nourriture que maman lui avait préparée. Puis, je passais les soirées à m'assurer que les oiseaux ne mangent aucun de nos fruits et aussi à tenir à distance les chèvres et les moutons, sinon, à la moindre distraction du berger, ils se précipitaient à la recherche des pousses les plus vertes. Dans le petit village, nous avions notre propre forgeron, meunier, maçon, charpentier et même électricien, car même si c'était une petite ville, la centrale hydroélectrique n'était pas loin. Nous avions tous la lumière chez nous mais le système électrique était plutôt particulier. Voyez-vous, il n'y avait d'électricité que pour une ampoule à la fois. Et c'est pourquoi nous déplacions constamment les interrupteurs d'une pièce à l'autre.

J'étais un enfant remuant. Pour moi, tout dans le monde avait une raison d'être. Il était clair que rien n'était déplacé. J'aimais rendre visite au forgeron et à l'électricien pour voir comment ils travaillaient. Mais mon père ne voulait pas perdre de temps avec ces choses-là, il préférait m'envoyer au verger avec un livre pour étudier tout en m'occupant des cultures. Parfois j'allais pêcher dans la rivière, enfin, attraper des poissons à mains nues car pour avoir une canne à pêche et pouvoir pêcher, il fallait avoir un permis. Mais comment aurions-nous pu payer un permis quand nous avions à peine de quoi acheter une canne ?

Chaque année, du 4 au 8 septembre, la foire commerciale avait lieu à Calatayud. C'était l'une des plus grandes foires du pays, où -

comme le veut l'adage - tout le monde venait regarder mais personne acheter. Il était clair que peu de gens avaient de l'argent mais malgré cela, de nombreuses transactions avaient lieu, beaucoup comptant sur le troc traditionnel pour échanger des moutons contre des vaches ou des jambons contre des fromages. Cette année-là, une grande foule visita la foire. C'était la première fois que je voyais autant de monde rassemblé. Beaucoup de marchands ne possédaient rien et se contentaient de profiter de cet endroit pour mettre en relation vendeurs et acheteurs, servant d'intermédiaires et prenant un pourcentage sur les ventes. Je me demandais en observant tout ce qui se passait. Dans la section alimentaire, il y avait une odeur intense de caramel sucré car de nombreux stands offraient des friandises traditionnelles.

- Tu veux une pâtisserie ? - me demanda mon père en souriant. J'acquiesçai, quelque peu incrédule. Je suis allé au stand et ai choisi une des plus grosses avec une fine couche d'amandes effilées sur le dessus.

Visiter la foire et me promener en savourant ma friandise était le comble du plaisir. Mon père leva la tête, regardant droit devant lui, comme s'il avait vu quelque chose d'intéressant dans la foule.

- Eh bien, si ce n'est Matías ! Allons-y, cela fait un an que je ne l'ai pas vu. Matías était un vieil ami de mon père, il l'avait parfois mentionné en nous racontant des histoires sur son service militaire quand on l'avait envoyé participer à la guerre en Afrique.

L'homme se trouvait à peine à plus de dix mètres mais se frayer un chemin dans la foule était compliqué.

- Matías ! s'écria mon père. Le bruit de la foule étouffa ses paroles.

Un groupe de nonnes passa et nous dûmes leur céder le passage. Quelques secondes plus tard, Matías avait disparu dans la foule. Mon père le chercha partout puis soudain, se retrouva face à un visage familier.

- Nuñez ! Salut !

- Que fais-tu ici ? - demanda mon père.

- J'ai amené mon fils voir la foire.

- Mais il est bien trop grand pour cela maintenant !

- Et toi, tu es juste venu jeter un coup d'œil aussi ?

- Non, pas vraiment, je viens juste de déposer mon fils à la gare. Il vient d'intégrer l'école d'aviation à Malaga, et comme j'étais dans le coin, j'ai décidé de me promener un peu. Et toi Alfonso, pourquoi ne t'inscris-tu pas ? - me demanda-t-il.

- Il faut avoir dix-huit ans et j'en ai seulement quinze...

- Seulement quinze ? C'est incroyable comme ces garçons grandissent vite ! Si tu continues comme ça, tu ne pourras bientôt plus passer les portes ! Écoute, faisons cela - je vais dire à mon fils de t'écrire pour t'expliquer tous les détails de sa vie à Malaga, comme ça tu pourras mieux te préparer pour l'avenir.

À l'époque, cela me semblait une idée fantastique. Si j'étudiais dur, je pourrais bientôt intégrer l'école d'aviation de Malaga. Ce que je ne savais pas à l'époque, c'est que cette école était pour les sous-officiers et que le destin m'emmènerait à l'Académie de San Javier à Murcie, où je serais diplômé pilote. Soit le hasard, soit le destin a fait que mon père n'a pas pu rencontrer Matías qui, ce jour même, venait juste d'envoyer son fils à l'école de pilotage.

Toutes les deux ou trois semaines, je recevais une lettre de Rodrigo racontant ses aventures à l'académie. Il parlait un peu de la théorie qu'il étudiait, mais il aimait surtout expliquer ses sorties avec les amis et les jolies filles qu'il rencontrait là-bas.

Mon inscription approchant, pour couvrir les frais du voyage, j'ai travaillé tout cet été à la reforestation. C'était un dur labeur, nous plantions des pins du lever au coucher du soleil et le salaire était très bas mais nous avons aussi beaucoup appris, surtout du Grand-Père - le surnom donné au plus âgé de l'équipe, et aussi le plus expert en tout ce qui concernait le reboisement. Il savait quel type de végétation poussait sur chaque versant de montagne, si elle se développerait mieux à l'ombre ou exposée au soleil, la saison des semis, la meilleure façon pour que cela prenne racine et même comment déterminer l'âge d'un arbre juste à sa taille et son aspect.

Cette même année, quelques mois avant mes dix-huit ans, je reçus enfin la notification que j'étais accepté comme élève à l'école d'aviation. Pendant quelques jours, je gardai cela secret. Mon père était occupé à cette période et je l'aidais quand je le pouvais. Un matin où je travaillais avec lui, il me regarda et dit :

- Vas-y déjà ! J'ai assez de force pour faire le travail tout seul ! - Il semble que ce même matin, il avait rencontré le père de Rodrigo qui l'avait informé que ma candidature avait été acceptée.

Chapitre 2

J'avais pris le train à quelques occasions mais c'était de loin le plus long voyage que j'aie jamais fait. J'ai passé de nombreuses heures à observer les passagers. Au début, je ressentais un sentiment de liberté, j'étais seul, loin de chez moi, de mes proches et de ma famille. Le train s'arrêtait toutes les quelques minutes. En fait, je pense que nous avons passé plus de temps à l'arrêt qu'en marche. À un de ces arrêts, un jeune homme plutôt étrange est monté à bord. Ses cheveux étaient noirs mais la barbe clairsemée sur son visage était d'un orange vif. Son apparence n'était pas la seule chose bizarre chez lui, il se comportait aussi de manière inconsistante. Il semblait vouloir s'asseoir mais n'arrêtait pas de marcher dans l'allée étroite du wagon. Une minute, il posait précipitamment la valise, la minute d'après il la reprenait vivement pour continuer à marcher avec à la main. On aurait dit qu'il ne savait pas quoi décider et ne savait pas s'il devait descendre du train ou continuer le voyage. Il s'est arrêté à côté de moi et je me suis décalé pour lui faire de la place. Il a essayé de mettre la valise dans le porte-bagages au-dessus de nos têtes. Il a soulevé ce vieux casier, qui semblait peser très lourd, et après plusieurs tentatives il s'est rendu compte que c'était trop gros, alors il a dû la reposer au sol. Puis il s'est assis et m'a fixé du regard.

- Tu ne vas pas à Malaga par hasard ? À l'école d'aviation ? - a-t-il lâché précipitamment, l'air assez nerveux.

- Si, je dois y être demain matin.

- Sacré malchance ! La marine aurait été bien mieux.

- Sacré malchance ? - ai-je dit juste pour me taire aussitôt. Je ne voulais pas faire de gaffe mais je ne comprenais pas pourquoi il se plaignait. Moi, j'avais hâte d'aller à Malaga. En fait, je rêvais de ce jour depuis mes quatorze ou quinze ans.

- L'aviation n'a pas d'avenir, ces avions sont trop fragiles, une bourrasque peut les faire tomber. La marine a de bons navires en fer qui font le tour du monde.

- Pourquoi t'es-tu inscrit à l'école d'aviation alors ?

- J'aurais aimé pouvoir choisir, mais je n'ai rien pu faire. Il n'y avait plus de places et mon père m'a inscrit ici. J'espère juste que je n'aurai pas à monter dans une de ces vieilles carcasses. Je ne sais pas, peut-être qu'ils vont nous mettre dans l'une d'elles dès notre arrivée et on va s'écraser.

- Non, ne t'inquiète pas, j'ai un ami qui termine ses études là-bas et il me dit que si tu t'inscris en télécommunications, il y a de fortes chances que tu n'aies pas à voler.

- Mais j'ai entendu dire que tous les élèves sont obligés de prendre l'avion.

- Eh bien tu as raison : dans deux ou trois mois, ils nous feront faire un tour en avion, je suis sûr que ta peur de voler disparaîtra alors.

Elías est resté silencieux un moment, pâle - il était clair que l'aviation n'était pas pour lui.

Les paysages que l'on voyait du train étaient magnifiques. On pouvait littéralement passer des heures à regarder par la fenêtre sans même voir le temps passer. Fin octobre, les feuilles des arbres commencent à jaunir et le paysage se teinte de nombreuses couleurs - rouge, orange, différentes nuances de vert et ocre, comme les tableaux de Van Gogh. J'ai passé la journée à parler avec mon compagnon de voyage. Plus tard, pour le dîner, nous avons partagé la nourriture que nous avions emportée - du pain, du fromage, du chorizo et du boudin. Alors que la nuit tombait et qu'une forte pluie se mettait à tomber, les vitres du train se sont totalement embuées. Pour pouvoir voir à l'extérieur, nous avons dû nettoyer un cercle sur les vitres avec nos propres mains. Nous pouvions alors apercevoir les villages, bien que certains n'aient pas d'éclairage dans les rues.

Après le dîner, entre mon estomac plein et le vacarme du train, je ne pouvais garder les yeux ouverts. Tous les passagers somnolaient sur leurs sièges. J'ai appuyé ma tête contre la vitre et me suis endormi paisiblement, me réveillant brièvement quand un passager descendait du train. Au fil du temps, nous étions de moins en moins nombreux à bord - peu faisaient tout le trajet et à cette heure de la nuit, plus personne ne montait non plus dans le train.

L'aube se leva et le ciel était dégagé. J'ai contemplé le magnifique paysage pendant quelques minutes. Elías dormait encore profondément mais le train s'est arrêté brusquement et il s'est réveillé immédiatement. Tout le monde est sorti des wagons. Nous avons attendu. Peu après, la voix du contrôleur nous a avertis de la fin du voyage. Un autre train était à quai, occupant la même voie, et nous avons dû marcher jusqu'au quai. Jusqu'à présent, je me sentais à l'aise. Le long trajet m'avait fait oublier la destination mais maintenant que nous étions arrivés, je sentais mes tripes se contracter. J'ai regardé le visage de mon compagnon et j'ai su que mes sentiments n'étaient rien comparés aux siens. Le pauvre Elías était pâle et de temps en temps, il frissonnait.

- Je crois que je ne peux pas marcher. J'ai les jambes qui tremblent et je sens que je vais m'évanouir - a-t-il dit. Et là, il était vraiment blanc, son visage était devenu blanc comme du lait.

- Nous avons encore un peu de temps. Arrêtons-nous au café de la gare. Allez, laisse-moi t'offrir un chocolat chaud, tu verras comme ça va vite te remettre.

Faire une halte pour le petit déjeuner fut une excellente idée. Nous avons repris des forces et nous sommes sentis beaucoup plus détendus en bavardant avec les gens. La vérité, c'est qu'après avoir reçu les lettres de Rodrigo pendant si longtemps, les choses étaient vraiment plus faciles pour moi et sans jamais avoir mis les pieds dans la ville, j'avais l'impression de bien la connaître. Je connaissais aussi le quartier général et même le nom des officiers, et plus important, leur personnalité et ceux dont il valait mieux se tenir à distance.

L'académie militaire avait été construite par les Italiens pendant la guerre civile. C'était une sorte de palais fortifié. Après la fin du conflit, elle avait été reprise par le gouvernement qui y avait établi une école militaire.

C'étaient des temps de grande pauvreté et de famine. Il était fréquent de trouver des mendiants dans les rues de Malaga. Dans les casernes, nous mangions surtout des légumes et des pommes de terre et avions à peine de la viande.

La salle à manger était immense et semblait toujours bondée. Pour ma part, la nourriture servie était assez bonne. Beaucoup se plaignaient et certains n'y touchaient même pas, survivant avec les sandwiches du foyer et la nourriture envoyée par leurs mères. Il était interdit de garder de la nourriture, mais je connais plus d'un qui cachait une rangée de saucisses dans son casier. Le plus drôle, c'est que les plus riches n'étaient absolument pas les plus scrupuleux - en fait, certains des plus pauvres avaient la nausée rien qu'en regardant la bouillie qu'on leur servait.

Chaque jour, nous faisions un peu d'exercice le matin et le reste du temps était consacré à l'apprentissage de la théorie. J'étais l'un des étudiants les plus avancés de la classe, ce dont je dois en partie remercier l'insistance de mon instituteur Don Roberto sur les mathématiques. Nous étudions le code Morse, les bases des composants électroniques qui formaient les équipements de transmission et réception de messages, les différents types d'antennes et surtout leur utilisation. Être radio-goniométriste était une tâche complexe mais j'étais émerveillé de voir comment toutes les théories mathématiques pratiques s'appliquaient directement ici. Notre travail consistait à établir les communications entre la base et les avions en vol. À cette époque, il n'y avait rien de tel que les GPS d'aujourd'hui mais des appareils plus simples comme les radiophares. Nous étions chargés de transmettre au commandant pilotant un appareil sa position pour qu'il sache exactement où il se trouvait à tout moment. Généralement, on utilisait une antenne-cadre - un dispositif simple qui, selon son orientation, nous indiquait la direction de l'avion. Elle était utilisée à la fois au sol et dans les avions eux-mêmes. Les deux côtés de la boîte recevaient les signaux radio et en la tournant doucement à la main, elle indiquait son orientation. C'était en fait très simple - ça suit le même principe que les deux oreilles humaines. Voyez-vous, nous avons la capacité de déterminer la position d'une personne rien qu'au son de sa voix même les yeux fermés et c'est pourquoi si une personne se trouve à notre droite, nous l'entendrons mieux de notre oreille droite. L'antenne fonctionne donc à peu près de la même façon. Ensuite, l'opérateur radio qui gérait l'antenne depuis le sol déterminait la direction dans laquelle volait l'avion et la transmettait aux pilotes par télégraphie - nous sommes passés de la transmission par câble à l'utilisation des ondes radio mais ne pouvions toujours pas employer la voix.

Je ne pouvais m'empêcher d'imaginer faire partie de l'équipage, jouant avec tous les gadgets à l'intérieur d'un de ces énormes bombardiers, mais pour l'instant je devais me contenter de nos exercices au sol. Après trois mois à l'académie, nous n'étions toujours pas montés dans un avion. Les plus proches que j'avais vus se trouvaient à quelques centaines de mètres derrière la clôture du terrain d'aviation. Quand j'avais un peu de temps libre, j'aimais y aller le soir mais je devais généralement y aller seul car Elías n'aimait pas du tout ça.

Ce matin-là, on nous avait levés plus tôt que d'habitude et tandis que la plupart des autres jeunes hommes étaient effrayés, j'avais du mal à cacher le bonheur sur mon visage. Je soupçonnais que le grand jour était enfin arrivé - nous allions prendre l'avion. Certains commençaient à se sentir mal, surtout Elías, bien que dans son cas il y avait une raison puisque - comme il le disait lui-même, il était là par erreur. Mais tous les autres, je ne comprenais pas pourquoi. Ils s'étaient inscrits à l'académie d'aviation de leur plein gré et maintenant, ils avaient peur de voler ? J'étais heureux et excité à l'écoute des paroles de notre sergent :

- Aujourd'hui, vous allez voler dans l'un de nos meilleurs appareils - le Junkers Ju 52. Nous vous avons réveillés tôt pour que vous ne preniez pas de petit-déjeuner, je ne veux personne qui souille mes avions, bande de tapettes !

Nous avons marché en formation vers le bout de la piste, où le trimoteur toussait et crachait du feu par les tuyaux d'échappement. Le ciel commençait lentement à bleuir mais le soleil n'était pas encore levé et il faisait à peine jour. Nous nous sommes formés en file et avons commencé à embarquer dans l'avion. Elías marchait devant moi et je l'ai entendu marmonner quelques mots :

- Je ne peux pas, j'ai la tête qui tourne, j'ai besoin d'air.

Il n'y avait pas grand-chose que je puisse faire. Si j'ouvrais la bouche devant les officiers, j'étais sûr de me faire arrêter. Mais quand vint son tour de monter à bord, le sergent a étendu le bras et l'a empêché de passer.

- Reculez tous, reculez, celui-ci est déjà plein et sur le point de décoller.

Les puissants moteurs de l'avion ont commencé à accélérer, produisant un bruit assourdissant. Le souffle des hélices nous ballottait. Il a commencé à avancer lentement sur la piste et a immédiatement pris de la vitesse et s'est élevé dans les airs. Sa silhouette sombre se découpait parfaitement dans le ciel bleu grisâtre. Avant de nous en rendre compte, un autre Junkers avait pris sa place.

- Allez, allez ! À l'intérieur ! - a hurlé le sergent.

- Non, je ne peux pas, - a refusé Elías.

- Monte, nom de dieu ! - a crié l'officier en lui attrapant le bras et en le jetant à l'intérieur de l'appareil.

Je suis monté derrière lui. J'étais enthousiasmé d'être à bord d'un avion pour la toute première fois.

Bien qu'Elías ait trouvé que le vol ne finissait jamais, pour moi il a été très court. L'air frais et pur du matin ne présentait aucune turbulence et l'appareil était stable, comme un bateau flottant sur les eaux calmes d'un lac. Les rayons de soleil jaune vif passant par les hublots coloraient l'intérieur du fuselage. À vitesse de croisière, les panneaux métalliques du revêtement de l'avion produisaient un faible sifflement en canalisant le souffle d'air qui traversait. Le pilote dirigea l'avion vers la piste et descendit en douceur. J'ai été surpris par la fluidité et la délicatesse avec laquelle il a posé ce tas de tôle ondulée.

Le sergent nous a ordonné de descendre rapidement et de nous mettre en rang. Je me souviens de cette sensation d'impesanteur, comme si je flottais, toute la journée.

Les jours et les mois ont passé sans incident, nous avons beaucoup étudié et sommes peu sortis, la plupart de mes camarades de classe allaient régulièrement danser le dimanche. Le père de Ramón était le chef d'orchestre et il nous forçait à danser, peu importait avec qui vous dansiez tant que vous dansiez. Il était évident qu'il voulait nous caser avec n'importe quelle fille. Peut-être pressentait-il des temps difficiles pour l'église et pensait-il que nous devions trouver des partenaires et nous marier le plus tôt possible et si possible, commencer à avoir des enfants avant que tout ne tourne mal. C'était un homme très autoritaire. Je ne sais pas comment il faisait mais s'il vous arrivait de manquer la messe le dimanche, il le remarquait sûrement. Son esprit était une sorte de calculatrice qui mémorisait les noms de ceux qui étaient absents pour vous faire la leçon dès qu'il vous voyait. Mais derrière son apparence sévère, c'était un homme bon et aimant. Il savait aussi exactement quelles étaient nos faiblesses et invitait toujours ceux d'entre nous qui avaient le moins d'argent à des sodas ou du vin. Il aidait également ceux qui s'attiraient des ennuis, parlant souvent à la famille de la fille pour que le père n'explose pas et l'accepte finalement comme gendre.

Le clairon a sonné et nous sommes tous allés nous former. Le lundi nous passions pas mal de temps à nous former car il y avait toujours une surprise ou une autre – soit parce que l'un avait enfilé l'uniforme à la hâte et le portait incorrectement, soit parce qu'un autre était encore gueule de bois du dimanche. Dans ces cas-là, en plus de quelques jours de cachot, le jeune homme devait supporter les sermons du commandant. On appelait nos noms un par un et nous devions répondre "Oui, monsieur !" immédiatement.

- Elías Santos - a crié le sergent. Personne n'a répondu.

Il a répété son nom jusqu'à trois fois et toujours rien. J'ai commencé à trembler - je savais qu'il était allé voir sa petite amie ce week-end, quelque chose que je lui avais déconseillé car je savais que s'il ratait le train, il aurait de gros ennuis.

- Sergent, contactez la famille Santos, son père, sa grand-mère, ses oncles ou la femme qui a mis cet idiot au monde mais je veux le voir ici immédiatement - a rugi le commandant tandis que son visage rougissait de plus en plus.

Je le voyais déjà devant un conseil de guerre. Il avait toutes les chances de finir en prison - c'est-à-dire si le commandant fulminant ne le tuait pas d'abord. Quelques minutes plus tard, alors que nous étions toujours au garde-à-vous à écouter le supérieur, j'ai vu du coin de l'œil quelqu'un arriver. C'était Elías accompagné de Don Ramón. Les deux sont allés directement parler au commandant qui nous a demandé de sortir pour qu'il puisse régler l'affaire en privé.

Le prêtre a expliqué qu'Elías avait dû rester pour l'aider et que c'est pour cela qu'il n'était pas arrivé à l'heure pour l'entraînement. Je savais que tout était faux mais le commandant n'a pas douté de la parole du prêtre.

- Oui, je sais que c'est un bon garçon et qu'il donne toujours un coup de main quand il le peut, mais il aurait dû me prévenir. De toute façon, maintenant que je sais qu'il était avec vous, il n'y a pas de problème.

C'était bien le père Ramon. Bien sûr, Elías a dû le lui rendre en aidant aux offices et à préparer la salle de bal pour les dimanches, mais ce n'était rien comparé à la punition qu'il aurait reçue si Don Ramón n'était pas intervenu.

Elías est tombé amoureux de la jeune Pilar dès la première fois qu'il l'a vue - le coup de foudre, comme on dit, bien que je n'y aie jamais cru. La fille travaillait dans le cinéma de son père. C'est là qu'Elías a vu ses premiers films parlants, mais ça lui était égal. Ce qui comptait vraiment pour lui, c'était de passer le plus de temps possible avec Pilar.

Ses parents tenaient une boucherie avec son oncle - le frère de sa mère. Il aidait de temps en temps à la boutique et à chaque occasion, il prenait un peu d'argent dans la caisse pour sortir Pilar. Les choses semblaient bien se passer jusqu'à ce qu'une violente dispute éclate à la maison. Ses parents se criaient dessus, s'accusant mutuellement de voler de l'argent à l'entreprise. Ça a tellement dégénéré qu'ils parlaient de divorce. Elías n'a pas eu d'autre choix que d'avouer la vérité. Il s'est excusé à genoux auprès de sa mère qui s'est mise à pleurer inconsolablement. Elías s'en est tellement voulu qu'il a envisagé de mettre fin à ses jours.

Il a saisi un couteau de cuisine et est parti précipitamment vers le puits en pierre des environs. Il a pensé à se jeter dans le puits mais n'a pas eu le courage. Puis il s'est dit que s'il se tenait le dos au bord du puits et plaçait ensuite la lame aiguisée dans son ventre, instinctivement il se pencherait en arrière en sentant la lame le transpercer et tomberait au fond du puits. Il s'est donné une douloureuse piqûre mais n'a pas bougé d'un pouce, se tenant fermement au bord du puits. La douleur était si forte qu'il n'a pas pensé à réessayer. Il est rentré à la maison et a promis de rembourser l'argent, ce qu'il a fait en payant chèrement. Pour regarnir ses revenus et mettre de l'argent de côté pour entrer à l'Académie de Malaga, il a travaillé dans les mines de fer et est rentré chez lui chaque jour en portant quatre-vingt-dix kilos de bois de chauffage sur son dos.

Je n'étais pas sorti depuis plusieurs dimanches. Ma situation financière n'était pas très bonne et mes parents ne pouvaient pas m'aider.

- Mais pourquoi tu ne te prépares pas à sortir ?

- Je vais rester étudier.

- Quoi ? Pas question ! Tu deviens fou ? Trop d'études fait fondre ton cerveau !

- Ne t'inquiète pas, je préfère rester ici, - ai-je dit à Elías, bien que ce ne fût pas vrai.

- Quel est le problème ? Tu as besoin de quelque chose ?

Puis il a vu que la porte de mon casier était entrouverte, a jeté un coup d'œil rapide et est parti. Bientôt, il est revenu avec deux de ses costumes et les a posés sur le lit.

- Je te dis de ne pas insister.

- De quoi as-tu besoin ? Des vêtements ? Choisis le costume que tu préfères. As-tu besoin d'argent ? Prends-le - a-t-il dit en vidant le contenu de son portefeuille sur les costumes.

- Je ne peux pas accepter.

- Ne t'inquiète pas, il y aura des jours meilleurs. Pour moi ça va en ce moment mais qui sait ? La marée peut changer à tout moment, surtout maintenant que Pilar insiste pour se marier...

Je n'avais pas le choix et nous sommes sortis tous les deux ce dimanche-là. Les événements qui ont suivi, je n'aurais jamais pu les imaginer.

Je n'ai jamais aimé dépenser de l'argent dans les bars, je préférais me promener en ville, regarder une pièce de théâtre ou un film en plein air dans un théâtre d'été. Mais cette fois, j'ai fait une exception et ai pris un verre dans un café. L'endroit était géré par un couple marié et leur jeune fille qui les aidait de temps en temps. J'ai ressenti quelque chose d'inexplicable en voyant une si belle fille, quelque chose que je n'avais jamais ressenti auparavant - quelque chose qui n'était pas sans rappeler de vrais papillons voltigeant dans mon estomac. Son regard m'a envoûté, je suis resté hypnotisé. Maintenant, pour la première fois, je comprenais le sens du mot "béguin". C'était le coup de foudre, quelque chose qui allait à l'encontre de toute logique. Mais je me suis réveillé amèrement à la réalité en réalisant que la fille avait de nombreux soupirants. Plus d'un client venait simplement au café juste pour la voir.

- Je pense que ce n'était pas une bonne idée de t'amener dans cet endroit - a dit Elías en me voyant si léthargique.

Les jours ont passé mais je ne pouvais effacer la fille de mon esprit - ces beaux yeux et ce visage angélique me hantaient jour et nuit. Mais que pouvais-je faire ? Je n'étais qu'un parmi tant d'autres, et je ne pouvais certainement pas me pointer au bar pour essayer de la revoir. La force de la raison a prévalu une fois de plus - je devais l'oublier et me concentrer sur mes études. J'étais là pour travailler, pas pour batifoler avec les filles.

Depuis l'enfance, j'avais appris une leçon très précieuse - si tu veux devenir quelqu'un, tu dois maîtriser ton environnement. Enfant, j'appliquais cette règle d'abord à la maison, puis dans mon village où je connaissais chaque rue, chaque maison et chaque personne, et partout où j'allais je faisais exactement la même chose - je travaillais dur pour connaître chaque recoin, chaque personne, pas seulement leur nom. Il était important pour moi de savoir qui ils étaient, ce qu'ils faisaient et d'où ils venaient, s'ils étaient mariés ou s'ils avaient une petite amie ou, s'ils avaient des enfants, etc.

La vie dans les casernes me déplaisait de plus en plus, surtout après être tombé malade. Le jour où je suis revenu de cette promenade avec Elías, le même jour où j'ai rencontré la belle Conchita, un idiot avait volé la couverture de mon lit. Cette nuit-là, il faisait glacial et la seule chose que j'ai trouvée était une couverture sale, mouillée et puante. À ce moment, je ne pouvais penser qu'à m'en couvrir pour ne pas geler, mais du coup j'ai contracté une infection qui a provoqué une maladie douloureuse. Les médecins ne savaient pas ce que c'était ni comment la guérir. Quelques kystes sont apparus dans mon cou et j'avais même les testicules enflés. Je devais rester allongé sur le ventre car les kystes du cou ont éclaté et saignaient abondamment. J'ai aussi dû mettre une petite planchette dans l'aine pour empêcher mes testicules enflés d'appuyer sur le lit. J'ai vraiment eu beaucoup de mal. J'ai été transféré dans un hôpital militaire où j'ai passé plusieurs mois. Là, j'ai appliqué mon principe une fois de plus - j'ai commencé à découvrir tous les recoins de l'hôpital, à connaître chaque patient et chaque praticien. Finalement, je me suis lié d'amitié avec un médecin qui, ne voyant aucune amélioration, a décidé d'essayer un nouveau médicament sur moi, un cocktail de drogues et de pénicilline ; après quelques jours de traitement, j'étais complètement guéri.

À cette époque, la technologie était rare. Mon poste était à la campagne, à quinze kilomètres des casernes, et mon travail consistait à attendre que des avions me contactent pour demander leur position. Je ne recevais pas beaucoup de messages et j'étais souvent tenté de quitter la petite maison et de me détendre dehors à bronzer. L'armée était dure à cette époque et ne tergiversait pas - si on vous prenait en train de commettre une infraction, vous alliez directement en prison militaire. Les nuits étaient extrêmement longues, si au moins nous avions du café, mais il n'y avait rien et je devais tenir tout le service jusqu'à l'arrivée du suivant à l'aube. Pour empirer les choses, je devais supporter la plupart des services de nuit car l'autre fayot avait une sorte de piston et se voyait toujours attribuer les matinées. Non seulement cela, mais le règlement stipulait que pour les trajets de plus de cinq kilomètres, nous devions disposer d'un transport motorisé. Le malin Ramirez avait sa propre moto, une Sanglas de 347,75 cm3 et 14,4 chevaux, une superbe presque neuve. Moi, en revanche, on m'avait donné un vieux vélo rouillé avec lequel je ne pouvais même pas gravir les côtes, surtout sous la pluie ou le vent. Je disais au commandant que je ne savais pas faire de vélo et avais besoin que quelqu'un m'y conduise, car si j'arrivais en retard à cause d'une panne ou d'une urgence imprévue, cela pourrait mener à un incident très grave. Mais tout tombait dans l'oreille d'un sourd. Je devais donc trouver toutes sortes de moyens pour arriver à l'heure à mon poste. Je revenais toujours à la base à pied, avec le vélo fracassé, car tellement énervé par la situation, je l'écrasais délibérément contre les vieux murs en pierre en descendant les pentes.

Un jour, en arrivant à la base, le commandant m'attendait.

- Pourquoi votre moyen de transport est-il toujours endommagé quand vous arrivez ici ?

- Mon commandant, je vous l'ai déjà dit, je ne sais quasiment pas faire de vélo. Chaque jour en descendant ces collines, ma vie est en danger. J'ai passé presque un an dans ce poste reculé et vous ne m'avez pas une seule fois fourni de véhicule motorisé pour m'y rendre.

- L'armée n'est pas faite pour les gentlemen, Nuñez, ce sont des temps difficiles et nous devons faire preuve d'austérité.

Je me suis mordu la langue pour ne pas dire quelque chose d'outrageux, mais j'ai senti mon visage rougir de colère. Le commandant utilisait une des rares Jeep disponibles dans la base comme voiture privée, il ne laissait même personne d'autre le conduire. Ensuite, bien sûr, il y avait Ramirez - sa moto était un cadeau de l'armée et il l'utilisait même pour des balades en dehors de la base.

Fin février, après avoir enduré de nombreux jours froids, nous avons enfin eu des cieux dégagés. Il était presque impossible de ne pas quitter mon petit poste et m'asseoir au soleil. Peu à peu, le printemps a pointé son nez. De grands vols d'oiseaux ont commencé à migrer vers le nord. Les abeilles se sont mises à voleter de fleur en fleur et je regardais tout cela assis sur les marches en bois à côté de la porte, mon vieux vélo appuyé contre le mur et personne d'autre pour me tenir compagnie. Chaque jour j'augmentais ma distance depuis la station mais je craignais de ne pas entendre les messages que quelqu'un pourrait envoyer en cas d'urgence. J'ai donc conçu un système émettant un signal que je pourrais percevoir pendant que j'admirais les papillons à l'extérieur.

Parfois, les journées semblaient interminables et je me sentais comme un ermite - j'étais là, seul au milieu de nulle part, attaché à une station qui ne fonctionnait presque jamais. Des fois, j'avais envie de partir en marchant sans m'arrêter jusqu'à Dos Barrios.

Chapitre 3

Un soir, en revenant avec le vieux vélo cassé comme toujours, on nous a appelés et rassemblés dans la salle de théorie.

- Bon, à présent vous êtes tous correctement formés pour devenir radio-goniométristes. Maintenant, nous avons besoin de volontaires pour devenir navigateurs radio - a dit le commandant en caressant sa moustache et en nous regardant.

Quelques collègues et moi avons rapidement levé la main - Elías n'en faisait certainement pas partie.

- Très bien. Demain matin après le petit-déjeuner, rendez-vous au bureau sur le terrain d'aviation.

Ce matin-là, le réfectoire était bondé. Le petit-déjeuner du vendredi était excellent et personne ne voulait le manquer. On nous donnait un bol en métal avec du chocolat chaud et un panier de churros fraîchement frits. Pour être honnête, la nourriture de l'armée n'était pas si mauvaise, surtout depuis que le commandant s'en occupait. En fait, servir des churros le vendredi avait été son idée. La plupart des matins, le réfectoire était à moitié désert car presque tout le monde préférait profiter du temps du petit-déjeuner pour s'habiller et se raser tranquillement plutôt que de se préparer à la hâte. Il n'a pas fallu longtemps pour que la nouvelle d'un petit-déjeuner spécial le vendredi se répande et bientôt, il ne restait plus une place de libre à la cantine. En plus du chocolat qui accompagnait les churros, il y avait un panier de petits pains et un plat de charcuterie. Normalement, personne n'avait très faim le matin, bien qu'il y eût parfois un glouton rapace qui engloutissait les churros et les sandwiches comme s'il n'y avait pas de lendemain. La plupart d'entre nous cachions les sandwiches clandestinement dans nos poches. C'était une de ces choses vraiment idiotes et contradictoires que nous faisions. Il était interdit de sortir de la nourriture du réfectoire, et pourtant chaque matin des centaines de sandwiches disparaissaient mystérieusement des tables du petit-déjeuner. Mais ce qui était encore plus absurde, c'était que nous faisions ensuite la queue devant les officiers, les poches débordant de pain et de saucisses, et ils faisaient semblant de ne rien voir. Beaucoup des règles qui nous étaient imposées étaient comme ça - on ne sait pas si ceux qui les inventaient n'avaient aucune idée de ce qui se passait à l'intérieur des casernes ou s'ils le faisaient juste pour trouver des prétextes parfaits pour arrêter quelqu'un.

La vérité est que ce matin-là, je n'avais pas faim et j'ai eu du mal à finir mon chocolat. J'avais l'impression d'avoir l'estomac plein de pierres, une sensation très étrange. Le fait est qu'à l'époque, je ne savais pas ce que c'était que d'être nerveux, donc je ne réalisais pas vraiment que c'était mon subconscient qui s'inquiétait à l'idée d'aller sur le terrain d'aviation plus tard.

Nous sommes entrés dans le petit bâtiment carré à un étage fait de briques nues. Il y avait quelques minuscules fenêtres donnant sur la piste. C'était de là que toutes les opérations de contrôle du trafic aérien avaient lieu. La tour de contrôle entièrement vitrée à trois cent soixante degrés typique d'aujourd'hui n'avait pas encore été inventée. Toutes les opérations aériennes étaient supervisées depuis ce site ridicule - d'ici, les instructions étaient données à tous les avions décollant et atterrissant. On y fournissait également des détails sur l'emplacement de tout avion survolant la zone. Les opérateurs radio étaient les yeux et les oreilles des pilotes. Dans le cockpit, l'instrument le plus précis indiquant au pilote sa direction était un compas sphérique flottant dans l'eau. Ils accomplissaient vraiment des prouesses incroyables la nuit ou par visibilité réduite.

- Nuñez !

- Oui, mon capitaine !

- Rendez-vous immédiatement au Groupe 14.

- Oui, mon capitaine ! Où se trouve le Groupe 14 ?

- Débrouillez-vous pour le trouver. Dehors, maintenant ! - a grogné l'officier commandant.

Je continuais d'errer d'un endroit à l'autre, abordant tout le personnel près de la piste pour demander où était le Groupe 14. Un jeune soldat m'a dit de regarder à la cantine - pendant un instant, j'ai été tenté d'y aller mais conscient du genre de blagues qu'on faisait aux bleus, j'ai préféré demander à quelqu'un ayant l'air plus gradé. J'ai repéré un mécanicien travaillant sur l'un des avions sur le côté de l'énorme piste en béton.

- Mon capitaine, savez-vous où je peux trouver le Groupe 14 ?

L'homme a passé la tête hors de la nacelle recouvrant le moteur et avec un sourire noirci par la graisse, a pointé vers l'arrière de l'avion.

- Ça, c'est le Groupe 11, le 14 doit être un peu plus loin.

Heureusement que je n'avais pas fait confiance à cet idiot qui m'avait envoyé à la cantine chercher le Groupe 14. Maintenant, il était clair que le groupe faisait référence aux numéros écrits en graffiti sur un avion, et non à un groupe de personnes comme je l'avais supposé depuis le début.

J'ai marché à travers les énormes avions jusqu'au numéro 14. Ce n'était pas un Junkers Ju comme celui dans lequel nous avions volé avant. Celui-ci était bien mieux, beaucoup plus élancé et aérodynamique. C'était une magnifique machine qui semblait très rapide même immobile au sol. Le vieux Ju 52 avait l'air d'avoir été grossièrement façonné à coups de marteau et recouvert de la même tôle ondulée utilisée pour les hangars. Le Heinkel He 111, en revanche, arborait des lignes très harmonieuses et toute la surface était bien polie.

Une explosion soudaine m'a fait sursauter, avant de réaliser que c'étaient les moteurs de l'avion qui venaient de démarrer.

- Hé ! Vous êtes le radio ? - m'a crié le copilote depuis le cockpit de l'appareil.

- Oui, oui, c'est moi.

- Alors, montez à bord vite ou on part sans vous.

Frissons ! Dans quel pétrin m'étais-je fourré ?! Et plus important, dans quel genre de cinglés m'étais-je embarqué ? L'équipage du Groupe

14 était composé des personnes les plus étranges que j'aie jamais rencontrées.

Je montai à bord et les moteurs accélérèrent immédiatement, mettant l'avion en mouvement. Je vis le sol filer à toute vitesse sous mes pieds pendant que je tentais désespérément de relever l'échelle. Je finis par trouver le levier qui servait à cela. Puis, tant bien que mal en tanguant d'un côté à l'autre, je réussis à me mettre debout et essayai de gagner le poste de pilotage mais soudain je me retrouvai face à une pente très raide. L'avion décollait et je glissai inévitablement vers la queue. Je m'accrochai au fuselage comme je pus et dès qu'il se stabilisa, je courus rapidement vers le nez. J'entrai précipitamment dans le poste de pilotage.

- Je suis García et lui c'est Martín. Comment as-tu trouvé le décollage ? dit le commandant, lâchant les commandes de l'appareil pour me saluer. Le copilote fit de même et pendant un instant, personne ne surveilla la machine. L'aile droite commença à s'incliner lentement jusqu'à ce que l'avion perde de la portance et se mette à chuter aussitôt.

- Pour l'amour du ciel, reprenez les commandes avant de nous tuer ! mais le commandant ne tressaillit qu'à peine.

Après cette brève présentation, je demandai où se trouvait mon poste et Martin m'y conduisit. Je pensais qu'on m'attribuerait au moins une chaise et une petite table pour gérer la radio. Rien n'était plus éloigné de la vérité : mon soi-disant lieu de travail se trouvait devant la porte d'entrée. Les marches utilisées pour monter à bord, une fois repliées, servaient de siège et je devais donc trouver un moyen de tirer le meilleur parti de ce minuscule espace. Le premier vol se déroula sans incidents, mis à part les tribulations que je viens de mentionner, rien d'important comparé à ce que j'allais vivre. Je pouvais à peine bouger dans mon réduit car si je touchais la poignée du levier par accident, je risquais d'être éjecté de l'avion tel un projectile. La radio avait une portée très limitée – tout le fuselage, du nez à la queue, formait une antenne mais c'était encore insuffisant. Quand la réception était trop mauvaise, nous déployions l'antenne repliable – un dispositif très simple, semblable à une canne à pêche. Nous devions libérer un câble au bout duquel pendait une masse de plomb, rallongeant ainsi grandement l'antenne. Nous recevions et transmettions en code Morse puis via l'interphone avec un dispositif de communication interne pour informer le pilote des coordonnées. Ce premier jour, je contactai la base et atterris sans encombre. Jusqu'au mardi, le Groupe 14 n'était pas censé revoler. Je repris mes études mais, chaque dimanche, Elías insistait pour que nous allions nous promener en ville. Le temps de tout le week-end était très estival et nous avions profité d'un ciel bleu limpide sans nuages. Le mardi arriva en un éclair. Bien que j'eusse déjà fait l'expérience de cet équipage, je me sentais un peu nerveux avant d'embarquer dans l'appareil. Je montai après le pilote, le copilote et le mécanicien et pris ma place sur les marches, m'assurant que la porte était bien fermée. Là, assis dans l'espace exigu de mon réduit, entouré de câbles et de radios, je me sentais comme chez moi. Le vrombissement du moteur augmentait et l'avion commença à rouler sur la piste. À mesure que l'avion accélérait, les irregularités du tarmac nous secouaient de plus en plus mais dès que les roues décollèrent du sol, tout redevint calme. Je m'assurai de vérifier l'équipement et de le mettre en ordre. Une fois certain que tout fonctionnait correctement, je pus me détendre mais la radio se mit aussitôt à grésiller. Le signal était très clair, c'était notre base – ils nous appelaient pour nous informer qu'une énorme tempête se dirigeait droit sur nous. Je pressai les microphones du système de communication contre ma gorge et transmis l'information au commandant García. Il ne répondit pas, j'essayai à nouveau et j'entendis finalement Martin, le copilote. Le capitaine ne portait jamais les écouteurs.

- Bulletin météo reçu de la base.

- Rapport détaillé.

- Zone de basse pression, formation d'un cyclone dans le quadrant deux, secteur un.

- Tempête en vue.

Avant que le copilote n'ait fini de prononcer ces mots, la lumière disparut comme si la nuit était soudainement tombée sur nous. Les petites lampes de la radio m'enveloppaient d'un halo scintillant. Je ne sais pas si Garcia était téméraire ou stupide – dans tous les cas, il décida de monter en altitude et d'essayer de survoler l'orage. L'énorme nuage noir nous engloutit et pendant quelques secondes, tout fut calme, comme si nous voguions sur un fleuve, poussés par le courant vers le cœur de la tempête. Puis, une secousse soudaine me souleva d'un mètre au-dessus du sol. Je retombai à ma place et bouclai rapidement la ceinture autour de ma taille. Des trombes d'eau se mirent à déferler de partout sur l'avion – on aurait dit que nous naviguions sur l'océan plutôt que de voler dans un avion. Le fuselage fut violemment secoué encore et encore et je ne pouvais m'empêcher de me demander combien de temps cette machine pourrait encore endurer la fureur de Mère Nature. Et si nous traversions une tempête de grêle ? Une lumière vive brilla autour de l'appareil – je fus ébloui un instant, comme si on avait déclenché le flash d'un appareil photo droit dans mes yeux. Quand j'entendis le grondement du tonnerre, j'en étais presque à m'uriner dessus. Comment le commandant arrivait-il à garder le cap ? Il était impossible de voir quoi que ce soit là dehors – on aurait dit que nous étions entrés dans l'antre du lion. Les assauts continus du vent forçaient l'avion à changer sans cesse de trajectoire et le compas ne cessait de tourner dans tous les sens. L'avion était incapable de prendre de l'altitude et pouvait à peine voler au-dessus de cette masse d'air en ébullition. Les éclairs zébraient le ciel autour de nous – et si l'un d'eux nous atteignait ? Est-ce que les réservoirs de carburant exploseraient et nous désintégreraient tous instantanément ou est-ce que cela trancherait le fuselage nous faisant nous écraser comme un lourd rocher ? Bien sûr, il valait mieux ne pas y penser mais il était difficile de garder la tête froide. Je devais oublier la tempête et me concentrer sur mon travail. Si nous continuions à voler sans but, nous allions finir par nous écraser contre le sommet d'une montagne ou tomber en panne d'essence au beau milieu de nulle part. Un instant, les leçons de géographie de Don Roberto me revinrent en mémoire : "L'eau recouvre les 3/4 de la planète – plus de 70 % de la surface de la Terre est recouverte d'eau". Je ne savais pas ce qui était pire, percuter de plein fouet un pic et mourir sur le coup ou tomber dans l'océan et finir par me noyer. Je me mis à envoyer des télégrammes nerveusement, demandant à quelqu'un de répondre. J'envoyais ma requête et j'attendais mais je n'entendais que le vacarme de l'orage.

- Nuñez, donnez-moi une position.

- J'y travaille, j'y travaille.

« Un peu tard », pensai-je, « tu aurais pu m'écouter avant de te fourrer dans cette satanée tempête ». Les hommes dans le poste de pilotage avaient laissé le micro ouvert et je pouvais les entendre se disputer. Le mécanicien, complètement affolé, ne cessait de dire des paroles terrifiantes, nous condamnant aux pires morts. Encore et encore, je transmettais une demande de positionnement en morse mais c'était inutile, les interférences provoquées par l'orage annihilaient ma transmission. Je pensai alors à déployer l'antenne.

- Commandant, il faut dérouler l'antenne, gardez l'avion aussi stable que possible.

- Allez-y, dépliez l'antenne et prions pour ne pas être frappés par la foudre.

Je tournai rapidement la manivelle et déroulai tout le câble. Le contrepoids vola plusieurs mètres derrière la queue de l'avion, le secouant violemment d'un côté puis de l'autre. On entendait parfaitement les claquements du câble contre le fuselage de la queue. Jamais de ma vie je n'aurais imaginé me retrouver dans cette situation – moi qui avais toujours voulu voler, j'aurais alors tout donné pour échanger le Heinkel contre une mule comme celles que mon père chevauchait. Une fois que j'eus déployé toute la longueur du câble, je commençai à transmettre aussi vite que je le pouvais. Je devais débrancher rapidement l'équipement car cela risquait d'attirer la foudre. Et si celle-ci venait à passer par l'antenne ? Le courant pouvait-il circuler à travers les écouteurs et me griller comme un poulet dans un four électrique ? Sans aucun doute, je serais le premier à sentir le voltage. Encore une fois, j'essayai de me concentrer sur mon travail et de chasser ces funestes pensées. J'envoyai mon message et continuais d'écouter mais pendant quelques minutes, tout ce que j'entendis fut le vacarme de l'orage amplifié par l'antenne. Je dois essayer autant de fois que nécessaire, me dis-je, même si c'est un millier de fois. Aux sons qui provenaient du poste de pilotage, je compris que la situation empir

Les choses changeaient lentement, mais en mieux. Après m'être remis de la maladie qui m'avait éloigné de mon service pendant plusieurs mois, je décidai d'étudier davantage. Je m'inscrivis à des cours de langues et commençai à passer plus de temps en dehors de la caserne. Les expériences que je vivais effacèrent mon désir initial de poursuivre une carrière militaire et je cherchai donc un endroit où loger - quelque chose de correct mais à ma portée. Je louai une chambre chez une famille habitant le quartier – c'était petit mais propre et bien rangé. À ma grande surprise, le premier jour où j'emménageai, je découvris que Conchita, cette belle jeune fille dont j'étais tombé amoureux, vivait là. Le destin avait joué ses cartes et m'avait conduit dans cette maison. Je n'avais vu que ses parents ce jour-là au café lorsque je l'avais aperçue pour la première fois, mais je n'avais pas fait attention à eux. La première nuit, je pus à peine dormir à l'idée qu'elle se trouvait dans la chambre à côté de la mienne - nous n'étions séparés que par quelques centimètres de mur. Conchita s'intéressait beaucoup à la littérature et se demandait toujours ce que je lisais. En plus d'être belle, elle était aussi très intelligente et adorait lire. Assurément, si j'avais essayé de lui rendre visite au café, elle ne m'aurait jamais remarqué car elle méprisait les hommes qui perdaient leur temps et leur argent à jouer aux cartes et à boire du vin dans les bars.

Bientôt, nous devînmes de proches amis. Nous parlions souvent de la vie et de ce que nous aimerions faire à l'avenir. Cependant, au fil du temps, les choses se compliquèrent. Ne me considérait-elle que comme un bon ami ? Si je partageais mes sentiments avec elle, je risquais de compromettre mes relations avec toute la famille, et qui sait, on pourrait même me demander de déménager. Devoir gérer les femmes est bien trop difficile ! On ne sait jamais à quoi elles pensent...

Un beau dimanche, j'étudiais l'anglais. Conchita frappa à la porte de ma chambre.

- Pardon de te déranger mais ils passent un super film à l'Imperial - Chantons sous la pluie avec Stanley Donen et Gene Kelly. Je n'ai personne pour m'accompagner le voir. Ça te dirait de venir avec moi ?

J'étais sans voix. Pourquoi n'avais-je pas pensé à l'emmener au cinéma avant ?

- Ne t'inquiète pas, si tu dois étudier, on pourra remettre ça à un autre jour.

- Non, j'attendais vraiment avec impatience la sortie de “Chantons sous la douche”. Elle pouffa de rire, amusée de me voir si nerveux.

Elle portait une robe beige avec une jupe, et des chaussures vernies à talons moyens. En vérité, c'est tout ce dont elle avait besoin car elle était aussi grande que moi. Elle était vraiment magnifique. Ses cheveux mi-longs brillaient au soleil et je restais suspendu à ses lèvres. Nous marchâmes jusqu'au cinéma, achetâmes des chewing-gums à un kiosque et entrâmes dans la salle pour regarder le film. Je ne pouvais m'empêcher de la fixer et devenais de plus en plus nerveux au fil du temps. Il était grand temps de lui faire savoir que je ne voulais pas seulement être son ami. Si je ne fais pas le premier pas maintenant, je n'aurai peut-être plus jamais une chance pareille. J'essayai de me rapprocher d'elle mais ne savais pas comment m'y prendre. Je pensai donc à l'un des trucs les plus vieux du monde - mais apparemment des plus efficaces. C'est ça, me dis-je, bailler et passer mon bras autour de ses épaules devrait marcher. Je pris mon courage à deux mains et fis ce geste puéril. Quand je posai mon bras sur elle, elle sourit et se pencha vers moi. Je me sentais l'homme le plus chanceux du monde. J'étais si heureux que je ne pouvais m'empêcher de sourire.

Un jour, alors que je me préparais à l'intérieur de l'avion, le commandant de la base nous ordonna d'arrêter les moteurs, me demanda de descendre et me remplaça par Ramirez. On dirait que le "chouchou du prof" s'était lassé de monter la garde dans la vieille maison et prenait maintenant ma place. J'étais renvoyé à mon ancien travail. Maintenant que je m'étais enfin habitué à cette bande de cinglés, on m'envoyait au milieu de nulle part pour attendre que quelqu'un envoie un message radio.

- Commandant, est-il possible que Nuñez continue à faire son travail ici ? demanda Garcia.

- Les ordres sont les ordres.

- Foutus ordres... grommela agressivement le mécanicien en se dirigeant vers le commandant. Martin attrapa son bras et le retint.

Le commandant se sentit menacé et décida de partir avant que le grand costaud ne lui fasse du mal. C'était une bande de dingues mais je les avais appris à les aimer aussi. Le copilote passait ses journées à se battre avec le mécanicien, tandis que Garcia - grand amateur de théâtre -, avait l'habitude de répéter certains des personnages apparaissant dans les livrets qu'il lisait souvent.

Peu après ce même matin, me revoilà à gravir ces collines escarpées avec mon vieux vélo.

La famille qui tenait la boulangerie avait toujours été composée de personnes obèses mais le nouveau boulanger était excessivement maigre. C'était sans doute l'exception qui confirme la règle. En vérité, Dionisio n'était entré dans la famille qu'après avoir récemment épousé la fille de l'ancien boulanger. Maintenant, le beau-père s'occupait du four à bois pendant que Dionisio faisait toutes les livraisons. Il sillonnait dans son petit camion les villages d'Albacete et bien que beaucoup y fabriquaient leur propre pain, celui de la famille de sa femme était réputé pour sa qualité et très recherché. Depuis qu'il avait épousé la fille du boulanger, Dionisio jouissait d'une certaine stabilité financière et même si la famille n'était pas riche, on pouvait dire que le pain était toujours sur la table. Beaucoup dans la ville pensaient qu'il s'agissait juste d'un mariage de convenance car la jeune femme n'était pas très attirante mais malgré les ragots, le père de la fille ne voulait pas la décevoir. Au début, Dionisio travaillait à la boulangerie mais il devait se lever très tôt et travailler dur, ce qui ne lui plaisait guère. Il devint un fardeau mais le père ne pouvait pas le licencier et laisser son gendre au chômage, alors il décida de le mettre en charge des livraisons. Les choses empirèrent au lieu de s'améliorer. Les ragots allaient bon train à son sujet. Il est vrai que lorsque Dionisio avait épousé la fille du boulanger, il pensait plus à la position économique de la famille qu'à la beauté de sa femme. Bientôt, il rencontra de nombreuses commerçantes célibataires dans les villes où il livrait le pain. Il flirtait avec beaucoup d'entre elles, bien qu'il n'ait jamais couché avec aucune. Claudia était la plus facile de toutes – dès qu'il entrait dans l'arrière-boutique pour décharger les paniers de pain, il se mettait à la tripoter et bien qu'elle le réprimande, elle ne lui opposait aucune résistance ni ne freinait ses mains baladeuses.

Ce matin-là, Dionisio fut assailli par un désir incontrôlable et se jeta sur la jeune innocente.

- Non ! Pas ici ! La patronne pourrait nous voir et me virer, chuchota la fille en rabaissant sa robe et arrêtant ses mains qui palpaient ses fesses.

- Je passerai te chercher cet après-midi quand j'aurai fini mes livraisons.

Dionisio poursuivit son travail, arborant un sourire qu'il ne put effacer de la journée. À chaque livraison de pain, il imaginaait rouler sur les paniers de pain à l'arrière du camion avec la jeune fille. Le ciel commença à s'assombrir et bien qu'il ne fût que le début de l'après-midi, on aurait dit le soir. Il finit enfin toutes les livraisons et conduisit rapidement jusqu'à la boutique de Claudia. Elle l'attendait, cachée dans une porte cochère, et sauta dans le camion immédiatement.

- Accélère, accélère, sors d'ici avant que quelqu'un nous voie.

- D'accord, d'accord, on y va...

- Honnêtement, je ne sais pas ce que je fais. L'un des clients a dit que tu es marié à l'une des filles du boulanger. Je suis catholique et ne commettrais jamais un péché de ce genre.

Dionisio ne prêtait aucune attention aux paroles de la fille. Il savait qu'il pouvait facilement la manipuler avec ses douces paroles.

- Elle sait que je ne l'aime pas, c'était un mariage de convenance, je lui ai vraiment rendu service. Qui voudrait l'épouser saine d'esprit ?

Il arrêta le camion sur une route à la sortie de la ville et ne perdit pas une seconde pour poser ses mains sur la poitrine de Claudia qui résista à ses mots mais pas à son corps. Puis, un éclair illumina le ciel et le grondement de tonnerre qui suivit fit bondir la fille hors de son siège.

- Ce n'est pas bien. Si nous continuons sur cette voie, nous serons condamnés en enfer...

Mais il continua à l'embrasser et elle succomba à nouveau. Alors qu'il avait presque complètement fait glisser sa culotte, il réalisa qu'il n'y avait pas assez de place dans la cabine du camion et qu'il serait impossible d'aller plus loin.

- Viens à l'arrière du camion, ce sera plus confortable.

- Je ne sais pas, je pense que nous devrions partir. Et si quelqu'un nous voyait ?

- Mais qui va se promener par ce temps de pluie ?

- Sûrement Dieu nous regarde du ciel et c'est pour cela qu'il a déclenché cet orage.

- Allez ma fille, nous n'allons rien faire.

- Promets-le moi – Dionisio hocha la tête et la fille accepta d'aller à l'arrière du camion.

Ils se précipitèrent sous la pluie et allèrent à l'arrière du véhicule. Là, l'odeur du pain était très intense et il y faisait à peine jour. Le jeune homme se jeta à nouveau sur la fille mais juste au moment où il allait se pencher sur elle, ayant réussi à lui baisser la jupe et les jupons, ils entendirent un grondement intense qui s'approchait rapidement. On aurait dit une locomotive à vapeur descendue du ciel à pleine vitesse et fonçant droit sur eux.

- Mon Dieu, mon Dieu, pardonnez-moi, je promets de ne plus jamais fréquenter d'hommes mariés, dit-elle. À peine eut-elle fini de prononcer ces mots que quelque chose frappa la caisse en bois du camion, la réduisant en morceaux.

Prise de panique, elle s'enfuit sous la pluie en hurlant à pleins poumons. En la voyant, Dionisio se mit à réciter le Notre Père. Il prit le volant et rentra à toute vitesse. Il pria tout le long du chemin et demanda à Dieu de lui pardonner. À partir de ce jour, Dionisio préféra rester à la boulangerie à préparer le pain et ne tenta plus de séduire d'autres femmes.

Si ce n'était pour les bons moments avec Elías et Conchita lors des danses du dimanche, je me sentirais comme un ermite. Je passais d'interminables heures dans ce petit cabanon mais j'appris à profiter des journées ensoleillées pour explorer les environs tout en restant toujours aux aguets à l'écoute de la station. Les nuits étaient très différentes. Elles me semblaient interminables et lorsqu'il y avait un orage, j'avais l'impression que la petite cabane allait être soufflée. Pour être honnête, je dormais pendant la plupart de mes gardes – la seule raison de rester éveillé était d'éviter d'être arrêté si un officier se pointait au milieu de la nuit. Cela n'arrivait pas souvent mais le capitaine Ávila aimait faire le tour des différents postes de temps en temps, surtout les jours où il veillait tard en jouant aux cartes au mess des officiers. Il faillit m'attraper une fois mais je suis un dormeur léger et je me réveille au moindre bruit. Heureusement, mon poste était le plus éloigné de tous et on ne pouvait y accéder qu'en véhicule motorisé donc j'étais toujours prévenu de l'arrivée de quelqu'un.

Aujourd'hui, ils m'avaient relevé tôt et cela signifiait que j'avais la garde de nuit. J'avais profité de la journée pour étudier. Il était clair que si je voulais devenir quelqu'un dans la vie, je ferais mieux de m'appliquer, surtout maintenant que je commençais à voir des signes de changement. Il y avait des responsables américains qui inspectaient la base, donnant des conseils et montrant les nouvelles techniques dont disposait l'aviation grâce aux progrès scientifiques. Je savais que je devais me forcer à apprendre l'anglais donc j'étudiais pendant mes temps libres. Elías me procurait des vieux numéros du Times que les officiers lisaient au mess mais pour progresser, j'avais besoin de converser avec des étrangers et c'était impossible.

Je partis bien avant la tombée de la nuit, me demandant s'ils allaient finir par me donner une vraie voiture comme le stipulaient les règles. Tant de pédalage me mettait en très grande forme – à tel point que si je devais participer au Tour d'Espagne, je suis sûr que je me classerais bien. La végétation près du ruisseau était très luxuriante et vraiment belle à regarder mais c'était aussi la zone où le terrain était le plus accidenté avec des pentes abruptes. Aujourd'hui, j'avais le temps et je descendis du vélo pour me promener tranquillement pendant que le soleil disparaissait lentement derrière l'horizon. Dans le poste, Elías m'attendait.

- Hé mec ! Qu'est-ce que tu fais là ?

- Je me pose la même question. Je ne sais pas ce qui se passe, beaucoup de choses changent, tout le monde est devenu fou !

- Je suppose que c'est à cause des Américains.

- Non, je ne pense pas, quelque chose d'important a dû se produire. Je vais appeler Pilar ce soir pour savoir si elle a entendu quoi que ce soit.

- D'accord, tiens-moi au courant demain. Hé ! Attends une minute ! Et je pris la bande dessinée qu'il était en train de lire.

- Bon, mais on verra quand tu t'en achèteras une toi-même et cesseras de lire ces ennuyeux journaux anglais, dit-il sur le ton de la plaisanterie.

- Allez, file, il fait nuit.

- Qu'est-ce qu'il y a à dîner ?

- Aujourd'hui, c'est soupe aux nouilles et poisson, mais dépêche-toi d'y aller parce qu'ils ont aussi ajouté un dessert au chocolat, comme si c'était un jour de fête.

Je ne sais pas. J'avais le sentiment que cette soirée serait longue mais au moins, lire les Aventures de Tintin me distrairait. La lecture m'absorbait vraiment – je ne pouvais m'arrêter avant d'avoir fini le livre. À ce moment, il était déjà très tard et je commençai à avoir sommeil. Je m'affalai sur la table et m'endormis instantanément. Seulement quelques minutes après, le pétaradement d'un moteur de voiture me réveilla. Bizarre. Qui pouvait venir à cette heure de la nuit ? Le bruit du moteur continua de se rapprocher jusqu'à atteindre la porte de la cabane. Toutes les voitures s'arrêtaient sur la route à une cinquantaine de mètres du cabanon et ensuite tout le monde continuait à pied parce que le terrain était très accidenté.

- Tu dois retourner à la base, je vais te remplacer, dit Ramirez en ouvrant la porte.

- Mais tu es fou ? Comment veux-tu que je rentre à cette heure ?

- Tiens ! Prends les clés, fais attention dans les virages, ça a tendance à déraper vers la droite, dit Ramirez en prenant ma place pour le pire poste de la base, de nuit, et en me donnant les clés de sa moto ? C'était des plus inhabituel.

- Qu'est-ce qui s'est passé ? Les Russes nous attaquent ?

- Tu dois rejoindre le Groupe 14 dès que possible, je n'en sais pas plus.

Il était clair qu'il en savait plus. Je quittai la cabane radio et me rendis sur le terrain d'aviation. Quand j'arrivai, il faisait encore nuit. Le commandant me demanda de préparer mon sac à dos et d'être prêt à partir au petit matin. Le même homme qui m'avait retiré du Groupe 14 me redonnait maintenant mon poste de navigateur radio. Il y avait des voitures et des camions circulant partout sur la base. Les troupes se formaient devant les grilles. C'était la chose la plus étrange que j'avais jamais vue. Heureusement, je trouvai Elías dans la compagnie.

- Qu'est-ce qui se passe ?

- Tu n'es pas au courant ?

- Les Russes nous attaquent vraiment ?

- Nous sommes en guerre, nous partons pour le front aujourd'hui.

- Les Soviétiques ?

- Quels Russes ? Quels Soviétiques ? On va aux Îles Canaries, la guerre est au Sahara.

- Qu'est-ce qu'il y a dans le Sahara à part des chameaux et du sable ?

- Je me le demande aussi.

- Salaud de lâche !

- Quoi ? Tu es devenu fou ?

- Non, je ne parlais pas de toi, je voulais dire l'enfoiré de Ramirez, ce poulet a demandé à me remplacer pour ne pas avoir à aller à la guerre. Maintenant, je comprends pourquoi le commandant m'a redonné mon ancien travail dans le Groupe 14.

Je n'avais pas le temps d'appeler ou d'écrire à Conchita, alors j'avais jeté du papier et des crayons dans mon sac, au cas où j'aurais un moment dans l'avion. J'arrivai en courant sur le terrain d'aviation à l'aube naissante et dus me dépêcher pour attraper le Heinkel qui roulait déjà vers la piste. Un 14 était peint sur le gouvernail et en dessous on pouvait encore lire ce qui avait dû être son ancien nom, TVT-BOJUB.

- Ehhh, attendez, attendez ! criai-je en courant, une main sur mon sac à dos et l'autre agitant vers eux. Mais rien n'y fit, mes efforts étaient vains, l'avion continua d'accélérer. Que diraient-ils au commandant ? Comment expliquerais-je que j'étais arrivé en retard et qu'ils étaient partis en guerre sans moi ?

L'avion s'arrêta net. La porte s'ouvrit et le mécanicien passa la tête.

- Tu croyais qu'on partait sans toi. Hahaha !

- Ce n'était pas drôle du tout ! dis-je haletant.

- García avait parié une bouteille d'anisette avec Martín que tu arriverais en courant, pensant qu'on t'avait oublié.

- Typique de García...

Je montai à bord et allai vers le poste de pilotage, voulant réprimander le pilote, mais à peine eus-je posé le pied dans l'avion que l'équipage déboucha une bouteille de champagne pour fêter mon retour dans le Groupe 14.

- Je ne vois vraiment pas ce qu'on célèbre ? Vous ne réalisez pas qu'on part en guerre ?

- Nuñez, t'es un sacré veinard, c'est justement ça qu'on fête. Dieu merci tu es avec nous. Santé au meilleur navigateur radio de tous les temps ! dit García en me tendant une louche en métal avec un peu de champagne.

Chapitre 4

Quatre avions se regroupèrent dans les airs, tous ayant la même destination – les îles Canaries. Normalement, sur les cartes, les îles sont situées près de la péninsule mais ce n'est qu'en les survolant qu'on réalise qu'elles sont beaucoup plus loin qu'on aurait pu l'imaginer. Le vol ne fut pas sans incidents – comme toujours, le pilote et le copilote se disputèrent violemment. J'avais la radio pour essayer de maintenir la communication avec le groupe d'avions mais tout ce que j'entendais étaient des hurlements et des insultes venant du poste de pilotage – heureusement que je gardais le micro coupé.

- Nuñez, Nuñez ! Viens, aide-moi à les séparer, ils vont s'entre-tuer, hurla le mécanicien, balloté dans tous les sens par les secousses abruptes de l'appareil.

- Allons au poste, ces deux-là sont capables de crasher l'avion. Peut-être que ton talent de diplomate nous aidera à les calmer. J'ai essayé tout ce qui était possible mais regarde le résultat, dit le mécanicien en désignant une petite fissure sur son front juste au-dessus du sourcil droit.

Nous nous précipitâmes dans le poste de pilotage où nous trouvâmes les deux hommes s'étranglant mutuellement. En vérité, j'étais tellement habitué à ce genre de scènes que ça ne me dérangeait même plus. L'avion tanguait violemment de gauche à droite et c'était seulement entre deux coups que le pilote reprenait les commandes pour nous maintenir en vol. Il n'y avait que deux possibilités : soit on finissait par s'écraser en mer, soit le commandant d'un des autres appareils nous enfermerait tous en prison militaire dès l'atterrissage. J'intervins pour tenter de les calmer.

- Mais qu'est-ce qui se passe ? demandai-je pour détourner leur attention et voir s'ils se calmaient en en parlant.

- Je ne supporte plus cet idiot, il pense que juste parce qu'il est commandant il sait mieux que tout le monde et peut faire ce qu'il veut.

L'autre jour, il nous a fait voler pendant presque une heure au-dessus de la maison de ses beaux-parents pour qu'ils le voient. Juste avant, on a survolé les terres de mon père et je lui ai demandé de repasser juste pour voir si le voisin avait déplacé les bornes qui marquent les limites, et il a refusé.

- Je ne prends d'ordres de personne, répliqua calmement le pilote en sortant une cigarette de son étui, la portant à sa bouche et l'allumant avec une allumette. Puis, comme s'il ne faisait que discuter d'une partie de cartes au bar, il se leva de son siège et quitta le poste de pilotage.

- Où vas-tu ? demanda Martin.

- Prends les commandes, j'ai besoin de pisser – il était normal que le pilote ou le copilote quitte le poste pour uriner, c'était inévitable sur les longs vols. Ici, nous utilisions tous le trappe à bombe pour soulager notre vessie.

- Eh bien moi je ne le ferai pas maintenant. Quand je t'ai demandé de me laisser jeter un œil aux terres de mon père, tu as refusé et maintenant tu veux me donner des ordres ? Je refuse tout simplement. Tu sais quoi ? Je vais me chercher à boire.

Les deux quittèrent le cockpit, laissant l'appareil sans aucun contrôle. Le visage du mécanicien devint blanc comme neige. Pendant une seconde, personne ne dit rien.

- Prenez les commandes, Nuñez, on va s'écraser !

Et c'est ainsi que je me retrouvai à piloter un avion pour la première fois. J'attrapai le manche d'une main et stabilisai légèrement l'appareil. Puis je m'assis dans le siège du pilote et agrippai fermement les commandes. Ça n'avait pas l'air trop compliqué, pensai-je, mais la machine se mit immédiatement à s'incliner. Quand je réalisai qu'une aile tombait et réagis, c'était trop tard et je fis basculer l'avion abruptement vers le côté opposé. Je devins plus tendu mais parvins peu à peu à le niveler. Une fois l'avion stabilisé, les choses étaient bien plus simples. Cela me rappelait le vélo, en quelque sorte.

Nous atterrîmes aux îles Canaries. Les quatre appareils se posèrent sur la piste l'un après l'autre, formant une file. L'armée de l'air est habituellement le premier groupe à atteindre la zone des opérations et j'en faisais partie. Cette fois, nous fûmes épargnés de sérieux ennuis car il semble qu'un seul autre pilote avait réalisé que nous faisions des manœuvres étranges dans les airs. En ce qui concerne mon travail, il n'y eut pas d'incidents et nous n'eûmes pas à déployer l'antenne ni à provoquer de pagaille avec la boule de métal qui lui servait de contrepoids. Nous ne sûmes jamais ce qui s'était passé à Albacete mais les traces de peinture incrustées dans le métal nous firent penser que nous avions frappé quelque chose.

À quoi pouvions-nous nous attendre ensuite ? On nous donna d'abord pour instruction de ne pas quitter le site alors nous tournions en rond dans l'attente des ordres. La guerre est l'une des inventions les plus absurdes de l'homme, quel que soit le degré d'avancement d'un pays ou la préparation de son armée. Pendant la guerre, tout le monde commence à se comporter bizarrement, c'est le chaos et l'anarchie. Je la comparerais à une absurde querelle d'enfants dans la cour de récréation.

Le temps était chaud, le ciel bleu et nous nous mettions à l'abri du soleil pour jouer aux cartes sous les ailes des avions. Allions-nous partir en guerre ce jour même ou devrions-nous passer encore plusieurs jours dans l'attente ? Au fond de nous, nous espérions tous que le conflit s'apaise. À mesure que les heures passaient, l'idée de rentrer à la maison semblait prendre de la force. Après tout, ce ne serait pas la première fois qu'un de ces conflits se résolvait par des négociations politiques.

- Alignement ! commanda le sergent à voix haute.

Nous renvoyait-on enfin chez nous ? La nuit tombait et ce n'était pas le bon moment pour aller où que ce soit.

- Vous avez cinquante minutes pour manger un morceau, puis je veux tout le monde en rang ici même. Rompez !

Au début, cela semblait une bonne nouvelle, mais ensuite cela nous fit réfléchir, surtout quand nous vîmes un peloton de soldats commencer à charger les avions.

Nous passâmes la nuit à l'aéroport et reçûmes enfin des instructions le lendemain matin. Aurais-je pu avoir plus de malchance ? Le Groupe 14 serait chargé d'effectuer le premier vol de reconnaissance au-dessus du territoire ennemi ; puis, une fois de retour avec toutes les informations, nous repartirions avec le reste des escadrons pour bombarder la cible.

- Attachez vos ceintures, vous savez où se trouve la sortie de secours et souvenez-vous : si quelqu'un décide de sauter, n'oubliez pas que le sac à dos avec les affaires personnelles n'est pas un parachute, dit García avec son humour habituel.

Ce fut un vol tranquille. Nous commençâmes à prendre les premières coordonnées de position, surlignant les cibles sur une carte. Je dois dire que j'essayais d'éviter les zones peuplées autant que possible. Tout semblait bien se passer jusqu'à ce qu'ils commencent à nous tirer dessus. Heureusement, ils utilisaient des armes de petit calibre donc il était facile de leur échapper en prenant un peu d'altitude.

- Comment ça va, Nuñez ? Fais gaffe à ne pas te prendre un autre trou dans le cul.

- Je pense avoir enregistré toutes les positions, on peut retourner à la base, répondis-je.

L'avion fit un demi-tour à 180 degrés et nous regagnâmes la base. En vérité, j'étais plus inquiété par notre second voyage. Nous les avions pris par surprise mais maintenant, ils nous attendraient peut-être avec plus que des simples fusils.

Je transmis les informations au capitaine car il était chargé de les remettre au général. Nous nous préparâmes pour la mission et peu après, nous reçûmes l'ordre de décoller. Le trajet vers la zone chaude me parut très court. Une fois dans ce satané endroit, le temps semblait ralentir, comme si les aiguilles de l'horloge avaient cessé de bouger. Je ne m'étais pas trompé – l'ennemi nous attendait avec de l'artillerie lourde et les choses commencèrent vite à mal tourner. Quoi qu'il en soit, je comptais poursuivre mon plan – je n'étais pas pacifiste mais il ne me semblait pas juste de bombarder des cibles sur lesquelles nous n'avions pratiquement aucune information.

Nous menâmes l'escadron jusqu'au point de largage, ouvrîmes la trappe et commençâmes à lâcher les obus. L'ennemi fut instantanément intimidé et courut se mettre à l'abri. Les projectiles atteignirent le sol et plongèrent dans le sable fin du désert, comme dans l'eau. Seuls un ou deux explosèrent. J'étais content quand nous eûmes largué toute la cargaison car il était temps de rentrer.

Je descendis de l'avion et sans même avoir le temps de me réjouir de fouler à nouveau le sol ferme, je tombai nez à nez avec le commandant – ce même vieux commandant de base qui m'avait toujours forcé à faire du vélo pour me rendre à mon poste, ce vieil homme grincheux à tête de chien.

- Nuñez, tu as de la chance, je te veux comme navigateur radio dans mon Heinkel immédiatement.

C'était impossible – mes oreilles venaient juste de cesser de bourdonner après le bruit des explosions et on m'envoyait déjà de nouveau au front. Cet homme devait être malade dans sa tête. Il devait être un de ces dingues superstitieux et maintenant, il voulait m'utiliser comme porte-bonheur. En plus, ça devait être contraire au règlement – la norme voulait qu'on vole dans l'appareil auquel on était affecté mais cette fois, je devais voler avec le commandant, tandis qu'un autre navigateur radio prenait mon Henkel.

De retour dans les airs, et cette fois j'avais un mauvais pressentiment – jamais deux sans trois, c'est tout ce à quoi je pouvais penser. Encore une fois, dès que nous entrâmes en territoire ennemi, l'adversaire commença à tirer bien que cette fois cela semblait moins intensif – ils imaginaient sans doute ce qui les attendait. Cette fois, c'était le commandant qui était chargé des points de largage et je n'avais aucune chance d'intervenir. Nous larguâmes toutes les bombes mais encore une fois, la grande majorité finit enterrée dans le sable sans exploser.

- Quelles armes de merde avons-nous ? Quand ces bombes ont-elles été fabriquées ? Sont-elles remplies de TNT ou de ciment ? Quel TNT ? Elles ont sûrement été faites avant la guerre civile ! Elles sont certainement plus vieilles que ma femme ! Le commandant ne pouvait s'arrêter de râler, son visage écarlate semblait sur le point d'exploser.

Il avait en partie raison. La première fois, j'avais pensé que c'étaient mes légères déviations de coordonnées mais cette fois, il était clair que ces bombes n'allaient pas exploser.

- Retournons à la base ! J'ai besoin que quelqu'un règle le problème. Il est évident que personne ne nous enverra des munitions convenables donc il va falloir trouver quelque chose d'inventif.

J'étais content d'entendre cet ordre. J'aurais peut-être la chance cette fois de rester au sol un peu plus longtemps. Mais juste au moment où je pensais cela, plusieurs balles frappèrent mon avion – une balle perça les réservoirs de carburant, d'autres passèrent à l'endroit où j'étais censé être assis. Heureusement pour moi, le commandant m'avait ordonné de quitter mon appareil pour voler avec le sien. S'il avait suivi le règlement, j'aurais possiblement été tué ce jour-là. Tout mon ancien équipage fut sauvé, ils n'eurent qu'à effectuer un atterrissage d'urgence sur une plage proche. Par chance, personne n'avait pris ma place sur ce vol donc ils ne subirent aucune perte. Plusieurs souvenirs d'enfance me revinrent en tête puis je pensai à Conchita. J'en avais réchappé de justesse. Sans cet ordre absurde du commandant, plusieurs balles m'auraient transpercé. La guerre n'était pas une plaisanterie, seuls les idiots ou les fous n'en ont pas peur.

Chapitre 5

Après les deux premiers jours de frappes aériennes, les choses se calmèrent et nous ne menions plus que des missions d'observation, simplement pour confirmer que tout était en ordre. De retour à la routine, je continuais à étudier l'anglais et à essayer de le pratiquer avec tous ceux que je rencontrais. Les bars du coin étaient pleins de marins britanniques alors j'avais l'habitude de les aborder et de les inviter à boire une bière – ils étaient toujours surpris d'apprendre mes motivations. C'était une méthode très rentable pour apprendre l'anglais car je ne pouvais pas me payer de coûteux cours particuliers. Pour le prix d'une ou deux bières, les marins étaient heureux de me raconter leur vie. Et cela m'amène à l'une des histoires les plus absurdes que j'ai vécues en volant. C'est en parlant avec l'un et l'autre que j'appris petit à petit des affaires pas entièrement légales.

Le soir quand j'avais un peu de temps libre, je me promenais près d'une petite auberge située dans le port même. Si je me souviens bien, elle s'appelait Gran Hotel Mediterranean, mais elle était connue sous le nom des Trois Mensonges, puisqu'elle n'était ni un hôtel, ni en Méditerranée et que ce bouge n'avait définitivement rien de grand. C'était là que les marins allaient boire, non pas à cause des images positives évoquées par son nom mais parce que c'était l'établissement le plus proche du port et qu'on y servait du rhum et du whisky de contrebande. À l'intérieur, l'agitation des joueurs de cartes était aussi intense que la fumée de tabac. Je traversai la brume et allai au bar où j'attendis que le serveur me serve. Je commandai une bière et regardai ces hommes mal fagotés risquer leur paie dans une partie de cartes. J'essayai de repérer un Anglais avec qui discuter – généralement, ce n'était pas trop difficile car ils étaient souvent les plus bruyants et faciles à repérer. Je crus reconnaître un visage familier. Je le fixai et il leva son verre de whisky, portant un toast en l'air. C'était Timothy, un marin que j'avais rencontré quelques jours plus tôt. Tim était coincé dans ce port depuis plusieurs jours car son bateau était tombé en panne. La vie de ces marins était très dure. Ils passaient de longues périodes loin de chez eux sans savoir exactement quand ils rentreraient, ni quel serait leur salaire. Ils devaient avoir l'âme aventureuse car si les affaires se passaient mal, leur part était drastiquement réduite et ils pouvaient à peine couvrir leurs dépenses, sans parler des ennuis qu'ils rencontraient souvent avec la police des douanes et les pirates trouvés lors de leurs voyages. Tim ressemblait à l'un de ces fous chercheurs d'or et d'une certaine manière, c'est un peu ce qu'il était. S'il avait de la chance, vraiment de la chance, il pourrait gagner de l'argent lors d'une de ses expéditions. Ce n'était pas tout à fait comme ça pour les marins d'autres pays où le système de travail était pratiquement un régime militaire. Ici, seul l'entrepreneur qui affrétait le bateau était assuré de gagner de l'argent.

Je m'approchai de la table et il se leva pour me serrer la main, articulant quelques mots mal prononcés en castillan. Je m'assis et demandai au serveur de nous servir une tournée. Quand je sortis mon portefeuille pour payer, Tim me demanda de le ranger et insista pour régler.

- Le marché était que je payais la boisson en échange d'une discussion en anglais.

- C'était avant, maintenant que nous sommes amis...

Il est vrai que cet homme m'avait raconté tous ses problèmes familiaux. Il était marin depuis des années et avait à peine eu l'occasion de voir sa femme et ses enfants. Il disait que quand ils étaient très jeunes, environ six ans, chaque fois qu'il rentrait à la maison sa femme devait leur expliquer qu'il était leur père. Les enfants ne le reconnaissaient tout simplement pas, surtout le premier jour quand il arrivait mal rasé.

Je voulais lui demander quelque chose. C'était un sujet délicat sur lequel je ne me serais normalement pas renseigné mais un membre de ma famille me l'avait demandé. Au fond, il y avait aussi une nécessité économique – je voulais me marier bientôt et j'avais besoin d'argent pour beaucoup de choses.

- Vois-tu Tim, j'ai une connaissance dans la péninsule qui m'a demandé de transporter de la marchandise pour laquelle il me récompenserait généreusement. Il dit qu'il y a beaucoup d'argent à se faire avec le tabac.

- Non, non, pas le tabac, pas assez d'argent ! La soie est ce qu'il y a de mieux !

- De la soie ? Tu veux que je transporte un rouleau de tissu ?

- Non, pas le rouleau – des chaussettes, des vêtements de femme, des bas en soie coûteux... mets-en beaucoup dans la valise.

Il avait raison, à cette époque les bas étaient considérés comme un luxe en Espagne. Et on pouvait en mettre beaucoup dans une valise, sans aucun doute. Tim savait où s'en procurer à un prix presque ridicule comparé à la valeur qu'ils auraient dans ma ville.

J'utilisai une bonne partie de mes économies pour remplir la valise de toute sorte de sous-vêtements féminins. On aurait dit une malle ; grâce à mon nouvel ami, j'obtins un prix très spécial et pour faire tenir tous ces vêtements, j'achetai la plus grande valise que je pus trouver. Toute la semaine, je la cachai sous mon lit. Heureusement, personne ne la remarqua, sinon, j'imagine ce qui se serait passé s'ils avaient découvert toute cette lingerie. Enfin, le jour de l'expédition arriva. Je demandai un permis pour voler vers la péninsule afin de rendre visite à un parent et il me fut accordé. C'était courant car les avions allaient et venaient en continu de la péninsule pour transporter du matériel et l'équipage pouvait demander à voyager sur l'un d'eux. Gabriel, mon cousin au second degré, la personne qui m'avait embarqué dans toute cette histoire, m'attendait à l'aéroport de Séville. Il ne savait toujours rien au sujet des bas et pensait que je transportais une cargaison de tabac, mais ce n'était pas le problème. Alors que j'attendais d'embarquer, je vis mon vieil ami le commandant. Je me détournai, faisant mine de ne pas l'avoir vu mais j'entendis ses pas s'approcher de moi.

- Nuñez, mon ami ! Où allez-vous ?

- Mon commandant, je vais rendre visite à un parent à Séville.

- Je ne savais pas que vous étiez de Séville ?

- Non, je suis d'Aragon mais j'ai un cousin à Séville.

- Bien, je suis sûr que votre cousin ne verrait pas d'inconvénient à patienter un peu plus longtemps. J'ai une mission importante et je veux que vous en fassiez partie.

- Mais mon commandant, je suis en permission aujourd'hui.

Je commençais à devenir nerveux. Je remarquai le commandant fixer ma valise à plusieurs reprises. Heureusement, il ne me demanda pas ce qu'il y avait dedans.

- Nuñez, vous êtes un veinard... nous en reparlerons après votre permission. Au fait, qu'y a-t-il dans ce coffre ?

Je sentis une boule dans mon estomac et pendant un moment, je restai sans voix. Au bout de quelques tentatives, je réussis à sortir une réponse.

- Principalement du linge sale et un cadeau pour ma petite amie.

- Apportez-le ici, chargeons-le dans l'avion. Comment s'appelle votre cousin ?

- Gabriel, dis-je d'une voix que j'essayai de garder ferme mais qui tremblait.

- Je veillerai à ce qu'il le reçoive personnellement.

La situation empirait de minute en minute. Le commandant tirait la valise d'un côté pendant que je tirais de l'autre, avec tous ces bas de soie de contrebande à l'intérieur, pour finalement la jeter dedans comme si c'était un sac de patates. Je retins mon souffle un instant car je pouvais voir tous ces bas et soutiens-gorge voler dans les airs. Heureusement, la valise resta fermée. Que voulait-il dire par il s'assurerait que mon cousin la recevrait personnellement ? Ce type était bien capable de monter dans l'avion pour la livrer en personne. Je n'ose imaginer la tête de Gabriel si le commandant débarquait avec une valise pleine de marchandises de contrebande. Là, je me voyais vraiment pourrir en prison militaire. Je ne savais pas de quoi on accuserait

Gabriel mais il était clair ce qui m'arriverait quand on appliquerait le code militaire – rien de bon.

- Venez avec moi Nuñez, je dois vous parler de quelque chose.

Je n'avais jamais vu le commandant avec cette expression – il était évident qu'il savait ce qui se passait. Nous marchâmes vers un endroit à l'écart et il me regarda à nouveau d'un air sévère.

- J'ai entendu parler de votre commerce, de vos visites à l'auberge des Trois Mensonges...

Comment pouvait-il le savoir ? Peut-être que le serveur avait trop parlé ? Il serait facile de faire parler ce type – quelques billets et il vendrait même sa sœur.

Pourquoi avais-je écouté Gabriel ? Je ne serais pas dans ce pétrin maintenant. Ne t'inquiète pas, tout le monde le fait, la plupart des soldats font de la contrebande. Je ne sais pas s'ils font vraiment de la contrebande mais le fait est que quiconque se fait prendre le paie cher. Juste parce que je voulais me marier et que j'avais besoin de gagner de l'argent pour payer le cours de pilote. Maintenant j'allais passer au moins un couple d'années en prison militaire et quand j'en sortirais, je n'aurais plus de petite amie, plus de travail et pas un sou en poche.

- Voyez-vous Nuñez, Doris est en ville.

- Doris ?

- Oui, l'actrice américaine Doris Day.

- Je ne comprends pas.

- Je suis un grand fan et j'ai le nom de l'hôtel où elle loge, et comme vous parlez anglais, je me disais...

Je n'en croyais pas mes oreilles. Je soupirai de soulagement et essayai de garder mon calme. Je n'avais pas d'autre choix que d'accepter sa requête et de l'accompagner rendre visite à la célèbre actrice hollywoodienne cet après-midi-là. On dirait que l'homme avait un cœur et se comportait même comme une personne assez normale, finalement. Il paya toutes les consommations et s'assura que je ne débourse pas un sou. Nous eûmes l'occasion de parler à Doris et elle nous dédicaça même quelques-unes de ses photos. Pendant que nous festoyions, la valise était arrivée à destination. Comme le commandant avait insisté pour qu'elle soit remise en mains propres à mon cousin et que personne ne la réclamait, ils se mirent à l'appeler par haut-parleur. Ils nous ont découverts, pensa-t-il, et prit ses jambes à son cou comme dans une scène de film. Il courut dans tous les sens à travers l'aéroport, se cachant derrière les gens. La plupart le prirent pour un fou et au moment où il se dirigeait enfin vers la porte de sortie :

- Halte ! Attendez une minute.

Gabriel se retourna et vit un policier de l'aéroport s'approcher de lui. Il ne voulait pas se faire arrêter et pensa que le garde allait lui foncer dessus.

- Attendez ! Une seconde.

Il courut aussi vite qu'il le put, ses jambes ne pouvaient plus le porter et son cœur semblait sur le point de jaillir de sa poitrine.

- Quel drôle de type, qu'est-ce qui lui prend ? marmonna le policier qui tenait le mouchoir que Gabriel avait fait tomber un instant plus tôt.

Je ne sais pas où mon cousin est allé mais personne n'eut de ses nouvelles pendant longtemps. Les jours passèrent et comme personne ne venait réclamer la valise, ils se mirent à enquêter pour identifier le propriétaire. Vingt jours plus tard, un jeune capitaine s'intéressa à l'énorme malle. Il était curieux de découvrir ce qui était caché à l'intérieur et fit jouer toute sa force pour l'ouvrir. Il fut surpris de voir la quantité de bas et de lingerie dissimulée à l'intérieur. Il prit cette affaire très à cœur et essaya de trouver quel soldat avait tenté de faire passer en contrebande tous ces effets. Ses recherches le menèrent jusqu'à moi et peu après, je reçus l'ordre de me présenter à mes supérieurs. Moi qui ne savais rien de toute cette histoire et pensais que mon cousin avait bien reçu la valise, je n'étais nullement inquiet. Une fois de plus, il se mit à vaciller. Je pensais qu'il avait une autre mission non officielle pour moi. Puis je vis le jeune capitaine entrer dans la pièce portant mon énorme malle.

- Nuñez ! Vous vous souvenez de cette valise ?

- La valise ? balbutiai-je à peine.

- Oui, cette fichue valise que je vous ai aidé à mettre dans l'avion pour l'envoyer à votre cousin.

- Oui, oui, je m'en souviens.

- Eh bien, dites-moi, qu'est-ce qu'il y a dedans, nom de Dieu !

Que pouvais-je dire ? Il était évident qu'ils savaient exactement ce qu'elle contenait. Eh bien, comme disait toujours mon père, mieux vaut dire la vérité.

- Voyez-vous, mon commandant, il y a des sous-vêtements féminins.

- Vous voyez ce que je disais ? Cette valise devait être un cadeau pour sa fiancée, dit le commandant au jeune capitaine avec un sourire.

- Voyons, vous n'allez pas croire ça. Pourquoi quelqu'un achèterait autant de vêtements pour les offrir à une femme ? Le jeune officier n'était pas satisfait et voulait boucler son enquête en arrêtant un coupable – que sa morale le lui dictât ou qu'il voulût simplement gravir les échelons rapidement et marquer des points, je n'en sais rien.

- C'est que je vais bientôt me marier et ma fiancée n'a pas de trousseau...

- Vous voyez ce que je disais, Nuñez est un homme honnête. Arrêtez de perdre mon temps à embêter mes soldats et consacrez-le à des tâches plus rentables.

Non, ne pensez pas un instant qu'il ait oublié cet incident. Il le garda pour lui pendant longtemps et attendit le bon moment pour me le faire payer.

Chapitre 6

C'était une petite maison, très simple extérieurement et intérieurement. Nous aurions préféré un de ces nouveaux appartements, si possible au troisième ou quatrième étage. Je sais que maintenant tout le monde apprécie une petite maison mais à l'époque nous étions fatigués de vivre dans des pavillons de ville. Un appartement nous semblait bien plus moderne et sophistiqué. La maison avait un petit jardin, un garage et une cave en dessous. La plupart des gens utilisaient leur petite parcelle pour faire pousser des légumes. Nous n'étions pas comme les Américains ou les Anglais obsédés par leurs pelouses. Maintenant que notre premier fils allait bientôt naître, je pensais que nous pourrions acheter une balançoire. Je pouvais déjà l'imaginer courir dans le jardin.

Un camion militaire s'arrêta juste devant la porte. Le chauffeur, un jeune soldat enveloppé, s'approcha de moi.

- Mon commandant ! Êtes-vous Monsieur Nuñez ?

- Oui, c'est moi. Vous apportez les appareils électroménagers ?

- Pas vraiment, mon commandant. Voyez-vous, c'est une livraison spéciale de la part du lieutenant-colonel.

- Qui ça ?

- Je ne connais pas son nom, c'est un homme costaud avec une tête de...

- Chien ! Je ne savais pas qu'il avait été promu commandant. Alors, qu'est-ce que vous livrez ?

- De vieilles bombes qui restaient de la guerre d'Ifni.

- Mais comment diable allez-vous laisser des bombes dans ma maison ? Vous voulez que toute ma famille soit réduite en bouillie ?

- Je ne sais rien, mon commandant. Le lieutenant-colonel a dit de les laisser chez vous.

- Il n'a rien dit d'autre ?

- Non, non, enfin si, il a marmonné : Nuñez est un veinard...

Les premiers jours furent les plus durs. Puis après quelques mois, nous oubliâmes que nous vivions sur une poudrière.

Je ne comprendrai jamais l'approche militaire : d'abord ils remplissent votre maison d'explosifs puis ils vous décorent. J'ai reçu une lettre m'informant qu'on me décernait une médaille pour mes services pendant la guerre d'Ifni. Pourquoi voulais-je une médaille ? Comme ils insistaient sur le sujet, un jour je suis allé la chercher, et là on m'a dit que je devais la payer. Ces gens sont complètement fous. Comme si je n'avais rien de mieux à faire que de dépenser mon argent pour des médailles.

- Écoutez, vous feriez mieux de la vendre à quelqu'un d'autre.

- Mais Nuñez, vous savez bien que ça ne se fait pas – la médaille vous a été attribuée.

- Eh bien, il est hors de question que vous me fassiez débourser le moindre sou pour ce bout de ferraille.

Alfonso, mon fils aîné, était intrigué par le briquet qu'il avait trouvé dans la cuisine. C'était un de ces nouveaux grands modèles – ceux qu'il faut presser pour produire une étincelle électrique et allumer une petite flamme bleue. À cette époque, il ne devait pas avoir plus de quatre ans et son jeune frère pas encore trois. Tous les adultes jouaient à la timba – tous les dimanches après-midi, quelques amis venaient pour une bonne partie de cartes. La porte de la pièce était fermée et notre conversation animée pendant le jeu nous empêchait de réaliser que les enfants manigançaient quelque chose. Alfonso prit le briquet dans la cuisine pour le montrer à son frère.

- Regarde, tu vois la flamme ? Regarde, regarde ! disait-il en tenant l'objet dans sa main et en pressant le bouton.

Mais bien sûr, comme ça on ne voyait quasiment pas la petite flamme. Peut-être qu'il ne fonctionnait pas bien ?

- Apporte-moi quelque chose, un bout de papier.

C'est alors que ma femme apparut dans la cuisine, cherchant à préparer du café.

- Que faites-vous les enfants ? Pourquoi n'allez-vous pas jouer dans le jardin ?

Elle les sortit de la cuisine sans réaliser qu'Alfonso avait glissé le briquet dans sa poche. Elle pensait qu'ils s'amuseraient mieux dans la cour. Le jardin avait grand besoin d'être entretenu et était quelque peu négligé mais parfait pour que les enfants y jouent. En fait, quand il faisait beau, ils passaient des heures à y jouer. À présent qu'ils étaient seuls, ils avaient enfin l'occasion d'essayer ce briquet.

- Apporte-moi quelque chose, on va essayer.

Le plus jeune parlait à peine mais comprenait tout ce qu'on lui disait. Il chercha quelque chose pour que son frère puisse brûler et revint aussitôt avec la première chose qu'il trouva – une feuille verte qu'il avait cueillie dans un buisson. Il la lui tendit en souriant.

- On va voir...

Il pressa le bouton de toutes ses forces mais sans produire d'étincelle. Il recommença et une flamme bleutée apparut à l'extrémité. Il approcha vite la feuille mais elle ne prit pas feu – elle était trop verte.

- Non, non, ça ne va pas, il nous faut autre chose...

Ils se promenèrent dans le jardin, ramassant tout ce qui leur semblait combustible. Ensuite, ils empilèrent le tout devant la façade de la maison et l'allée d'accès. L'effort pour rallumer le briquet faisait rougir le petit. La flammèche peinait à atteindre les feuilles sèches. En un instant, les flammes atteignirent un mètre de haut. Alfonso se mit à souffler de toutes ses forces comme pour ses bougies d'anniversaire, mais il n'arriva pas à éteindre le feu. En quelques secondes, celui-ci se propagea dans toute la propriété et, voyant qu'il ne parvenait pas à l'arrêter, ils cherchèrent tous deux un endroit sûr.

- Viens, il faut se cacher ! On sera en sécurité sous la voiture.

Le véhicule était garé dehors car le garage était plein de munitions militaires. Les deux enfants étaient allongés sous le châssis, inconscients du danger. L'arrière de la voiture faisait face au garage, justement là où se trouvait le réservoir d'essence. À la vitesse à laquelle le feu se propageait, ce n'était pas le pire des problèmes. Si les munitions s'enflammaient, toute la maison et une partie du village seraient réduits en miettes. Les enfants regardaient les flammes grandir régulièrement et dévorer tout sur leur passage. Le vent avait changé de direction et la fumée grise les entourait maintenant. Leurs yeux pleuraient et ils ne parvenaient pas à s'arrêter de tousser. Le plus jeune a quitté l'abri et a couru vers leur mère. Alfonso est resté caché. Il savait qu'il avait mal agi et craignait d'être puni.

Le plus jeune a fait irruption dans la pièce pour tenter d'avertir les adultes du feu mais les mots ne voulaient pas sortir, il pouvait à peine parler et les nerfs l'empêchaient d'articuler.

- A, a, a, Alfonso ! F, f, feu !

Nous avons tous couru alors et avons vite senti l'odeur de fumée. Arrivés dehors, la moitié du jardin brûlait, la voiture était entourée de flammes et l'enfant restait caché dessous, presque intoxiqué par la fumée.

- Alfonso, Alfonso ! Où es-tu ? criait Conchita pendant qu'un ami et moi combattions les flammes avec les rideaux de la maison.

Le garçon était trop effrayé pour révéler sa position et ignorait totalement que la voiture était sur le point d'exploser. Le carburant dans le réservoir commençait à chauffer et ça pouvait partir à tout moment. J'étais plus conscient de la situation que quiconque car j'étais le seul à savoir avec certitude ce qui arriverait si l'une des vieilles douilles explosait.

- Mais où est donc passé ton frère ?

Le garçon était trop effrayé et a fondu en larmes. Sa mère continuait à lui poser la question et tandis qu'il essayait d'articuler quelques mots, les sanglots l'empêchaient de parler.

- Là, là, là ! - dit-il enfin en montrant sous le véhicule.

Ma femme n'a pas réfléchi à deux fois et a plongé dans les flammes. Elle a attrapé une jambe d'Alfonso et l'a traîné de sous la voiture, l'a pris dans ses bras et l'a mis en lieu sûr. Puis le réservoir a éclaté et le carburant sous pression s'est échappé avec le sifflement d'une cocotte-minute. Le carburant brûlant était devenu gaz et dès qu'il s'est échappé, il a commencé à brûler. Heureusement, je ne mettais jamais beaucoup d'essence dans la voiture, j'ai toujours préféré faire le plein petit à petit. Je pensais qu'ainsi la voiture avait moins de poids à porter et consommait moins.

Nous ne pouvions rien faire. Peu importe nos efforts pour éteindre le feu, de nouvelles flammes apparaissaient comme par magie. Le peu d'essence qu'il restait dans la voiture n'avait pas assez de force pour exploser violemment. Voir ma vieille Seat 600 brûler n'était pas du tout agréable mais ce n'était pas le moment des regrets. Toutes les femmes et les enfants ont trouvé refuge en lieu sûr et ont prévenu les voisins d'appeler les pompiers. Nous avons continué à essayer d'éteindre l'incendie, en espérant qu'il n'atteindrait pas les explosifs. Ma chemise était tachée de noir et le bas de mon pantalon était brûlé. J'avais aussi brûlé une partie de mes cheveux et il me manquait un sourcil mais nous ne parvenions pas à maîtriser ce maudit feu.

Les flammes commençaient à atteindre les portes du garage et je nous voyais déjà tous explosés. Puis le camion de pompiers est arrivé. On nous a ordonné de nous mettre à l'abri. Ils ont arrosé le métal des portes du garage. La plaque rouge a crépité en refroidissant, laissant échapper un peu de vapeur.

Chapitre 7

La plupart des gens, tout comme mon vieux commandant, aimaient parler de chance. Les gens préfèrent s'asseoir et attendre que la loterie leur tombe dessus plutôt que de travailler dur. Peut-être que certains ont de la chance mais personnellement, j'ai toujours joué à une "loterie de la vie" très différente. Ce n'est qu'en travaillant dur et en me préparant minutieusement que j'ai réussi à ce que la chance me sourie. Il est peu probable qu'une personne qui ne suit pas de cours de théâtre devienne un bon acteur. Il est également peu probable qu'une personne qui n'étudie pas la théorie musicale finisse par être un bon musicien. Comme le dit un adage très sage : il faut construire une maison à partir de ses fondations.

Tout en travaillant dans l'armée en tant que radio-goniométriste, j'ai essayé d'économiser autant que possible. Non, je n'avais pas l'intention de partir en vacances - j'ai investi tout cet argent dans mon éducation. J'ai étudié plusieurs langues, dont l'anglais comme je l'ai déjà mentionné, mais j'ai aussi suivi plusieurs cours qui selon moi m'aideraient à me construire un bel avenir - j'ai appris l'électronique, et bien sûr, comment piloter un avion. À l'époque, ce genre de formation était très onéreux et difficile à obtenir. Réfléchissez-y un instant - au début des années 1970, être pilote équivalait à être astronaute. Combien de licences de pilotes pouvait-il y avoir dans le monde dans les années 1940 ? Ce n'est qu'en 1927 que Charles Lindbergh a tenté sa célèbre traversée de l'Atlantique et en 1937, Amelia Earhart a disparu au-dessus de l'océan Pacifique lors de sa tentative de devenir la première femme à faire le tour du monde en avion. Personnellement, j'ai commencé mon apprentissage de pilote sur un vieux Bücker Bü 131 Jungmann à la fin des années 1940 - un magnifique biplan à ailes en flèche avec un intérieur et des instruments qui laissaient beaucoup à désirer. Cet avion volait à moitié découvert, donc en hiver vous posiez le pied au sol en ayant plus froid qu'un glaçon. Mais mis à part ces journées froides, piloter cet appareil était une merveilleuse expérience qui me donnait toujours un intense sentiment de liberté. On pouvait monter, descendre et faire à peu près tout ce qu'on voulait dans les airs.

Mon plan commençait à porter ses fruits, tout comme celui de mon père. Il avait été envoyé faire la guerre en Afrique en 1923. Les soldats étaient transportés à Algeciras et Tarifa mais ensuite, l'armée n'avait aucun moyen de les transférer sur le continent africain. Il a attendu des mois d'être embarqué mais n'a finalement jamais traversé le détroit de Gibraltar. Pendant ce temps, il regardait les avions décoller et atterrir tous les jours et c'est alors qu'il a réalisé que l'aviation était l'avenir du transport. Mon père avait un plan, un but qu'il n'avait pas pu réaliser. Alors en secret et sans en parler à personne, il a fait tout ce qu'il pouvait pour que je suive cette voie. Il avait placé tous ses espoirs en moi et c'est pourquoi il était en colère si je laissais jamais mes études pour l'aider.

L'un des jours dont je me souviens le mieux est celui où j'ai eu la chance de voler seul pour la première fois. Si vous n'avez jamais piloté d'avion, cela peut paraître absurde mais je vous assure que ce ne l'est pas. Un avion n'est pas comme une voiture - s'il cale, il est facile de le redémarrer assez rapidement. Ou si nous sommes nerveux le premier jour où nous le conduisons dans la circulation, nous pouvons juste nous garer n'importe où sur le bord de la route. Un avion ne peut pas s'arrêter en plein vol, on ne peut pas en descendre quand on veut. Si les commandes sont lâchées ou si le moteur s'arrête, l'appareil fonce droit vers le sol. Peu importe le nombre de leçons que vous suivez, le moment de vérité arrive réellement quand le moniteur descend de l'avion et vous laisse seul aux commandes.

Je me suis positionné au début de l'aérodrome, j'ai effectué un rapide contrôle moteur, accélérant et surveillant ses tours, puis j'ai poussé les gaz à fond et ai commencé à prendre de la vitesse. C'est à ce moment précis que vous réalisez que vous êtes seul, que personne ne peut vous aider, que vous ne comptez plus que sur vous-même, sur vos compétences et vos connaissances. J'ai relevé le nez de l'avion à la bonne vitesse et le train d'atterrissage s'est séparé du sol. À ce stade, au décollage, j'ai senti que le cordon ombilical qui me reliait à tous ceux restés au sol venait d'être sectionné. J'ai pris de l'altitude, je me sentais transporté et un sourire s'est dessiné sur mon visage. Je me sentais totalement libre. Je pouvais désormais faire ce que je voulais, vriller et faire des loopings ou pousser le moteur à fond. L'instructeur ne volait pas avec moi et il n'y avait personne pour me réprimander ou me crier dessus pour contrôler l'altimètre ou l'anémomètre.

J'ai survolé le ciel bleu teinté de l'ambre du couchant puis j'ai entamé l'atterrissage. À ce moment, j'étais un peu plus tendu. Personne n'était là pour me dire si je m'approchais de la piste trop haut, trop lentement, trop vite ou trop bas. Je devais avoir confiance en moi et en mon instinct. Des milliers, des millions de graines ressemblant à des pissenlits flottaient dans l'air, impondérables, poussées par la douce brise, scintillant alors que les rayons du soleil les touchaient tels de minuscules petites lumières étincelantes. Le temps s'est arrêté. Le ronronnement du moteur ressemblait juste à de la musique et je pouvais sentir ces petites fleurs. J'avais envie de lâcher les commandes et de rester là-haut pour toujours. À soixante-dix pieds d'altitude, j'ai réalisé que je volais trop bas alors j'ai dû pousser le moteur et faire une longue approche très près du sol. Aussitôt l'avion a atterri en douceur sur la piste et j'ai senti l'adrénaline remonter en flèche. J'ai roulé jusqu'à l'endroit où l'instructeur m'attendait avec les autres élèves et je suis descendu du Bücker. Mon esprit était encore là-haut. Soudain, un seau d'eau froide m'a ramené sur terre. C'était le fameux "baptême". Tous les autres pilotes ayant déjà volé auparavant préparaient un seau d'eau qu'ils versaient sur le pilote venant d'effectuer son premier vol en solo.

Je me suis bien préparé pour mon examen de pilote - je connaissais parfaitement la théorie mais j'avais des doutes concernant l'approche à l'aéroport. Je n'avais atterri qu'une seule fois sur cette piste et comme l'approche se faisait toujours depuis le sud, je n'avais jamais fait d'atterrissage en venant du nord. Pas même avec un vent arrière.

- Je ne sais pas, je n'ai pas eu assez d'occasions de bien préparer l'approche...

- Ne t'inquiète pas Nuñez, je n'ai jamais vu qu'on demande à quelqu'un d'atterrir par le côté nord.

Pourtant, je me sentais agité et jusqu'à ce que j'ai mémorisé la route secondaire, je ne me suis pas senti mieux.

J'approchais de l'aéroport à 110 km/h quand l'examinateur m'a informé que je devais entrer par le nord. Loi de Murphy : ça ne rate jamais. Maintenant, sans aucune pratique et avec seulement les repères visuels que j'avais étudiés sur la carte, j'ai effectué l'approche.

- Alors, comment s'est passé l'examen ? - m'a demandé le moniteur.

- La vérité, je n'en ai aucune idée, je ne sais pas quand les résultats seront publiés.

J'étais assez nerveux. Bien que je me sois préparé du mieux possible, je ne serais pas tranquille avant d'avoir mes notes. Le cours était très onéreux et j'avais réussi à en couvrir les frais en partie grâce aux bénéfices de la vente des bas de soie. Je savais que si j'échouais, il me serait très difficile de réunir à nouveau ce genre de somme pour payer un autre examen.

Chapitre 8

J'en avais assez de servir dans l'armée. J'y avais passé tant d'années que je me souvenais à peine de ce que c'était que mener une vie civile. Les choses banales comme profiter de ses week-ends, savoir quand on a droit à des vacances, et surtout ne pas avoir à se soucier constamment de ce que ses supérieurs pensent de vous. Quand j'ai commencé, il n'y avait pas beaucoup de choix mais maintenant l'économie s'améliorait et beaucoup vivaient très bien et n'avaient guère de soucis en dirigeant une petite entreprise. Beaucoup de mes camarades avaient quitté l'armée pour mener une vie civile, travaillant comme pilotes chez Iberia. Ma femme me disait que je devrais postuler mais comment obtenir ce genre d'emploi ? Peut-être il y a quelques années mais maintenant c'était presque impossible. Tous ceux qui rejoignaient la compagnie étaient recommandés par quelqu'un déjà en poste.

Ce soir-là au dîner, nous en avons parlé.

- Écoute, c'est impossible pour moi de les rejoindre et aussi, je ne pense pas que les salaires soient si élevés.

- Si tu n'essaies pas, tu ne sauras jamais.

Je n'étais pas convaincu mais il me semblait que le mieux était de passer au ministère pour voir ce qu'ils avaient à dire.

Le lendemain matin, je me suis repris et suis allé leur parler. Après m'avoir renvoyé d'un bureau à l'autre - chose très courante dans toute administration, j'ai enfin pu voir la personne en charge des candidatures. C'était un homme voûté, chauve, ratatiné, portant une paire de lunettes qui semblaient si grandes qu'il pouvait à peine lever la tête.

- Bonjour, bonne journée.

- Peut-être pour vous.

Non, nous n'avions pas commencé du bon pied. Ce petit homme n'avait aucune intention de travailler.

- Je voudrais déposer une candidature pour Iberia.

- Vous avez deux ans de retard, il n'y a pas de poste disponible.

- Savez-vous quand ils vont rappeler des pilotes ?

- Je pense que vous m'avez mal compris - si vous n'avez pas une bonne recommandation, je ne peux pas accepter votre CV.

Je suis rentré un peu déçu mais c'était exactement ce à quoi je m'attendais. J'avais beaucoup des qualités requises pour le poste - j'étais bon en maths, navigation et anglais. Mais le problème était que je venais d'une famille humble et à cette époque, si vous n'aviez pas de parrain, vous ne pouviez pas être baptisé.

- Comment s'est passé l'entretien ?

- Perte de temps, je te l'ai dit hier soir. Seuls ceux qui viennent avec une recommandation sont acceptés.

- Eh bien trouvons quelqu'un qui peut te recommander alors.

- Mais tu es folle ? Qui connaissons-nous ? Ça doit être quelqu'un avec beaucoup d'influence.

- Comment s'appelle cette fille, l'amie de ton copain ?

- Quel copain ?

- Le fiancé d'Elías.

- Pilar ?

- Oui, Pilar. Elle travaille avec un général, je suis sûre qu'elle peut t'obtenir une recommandation.

- Mais comment lui parler ? Je n'ai pas eu de nouvelles d'Elías depuis un moment, je ne sais même pas où il est.

- Eh bien s'il est dans l'armée, ça ne devrait pas être trop dur de le trouver. Envoie juste un télégramme pour qu'il te contacte.

Je devrais d'abord aller parler au vieux lieutenant-colonel, et ça, ça ne m'enchantait guère. Alors, sans y repenser à deux fois, je suis allé le voir dans son bureau. C'était incroyable - peu importe le temps qui passait, le vieux grincheux avait toujours l'air exactement le même.

- Nuñez ! Qu'est-ce qui t'amène ? Assieds-toi, assieds-toi.

J'ai été surpris de le voir si cordial. Peut-être qu'après notre dernière dispute à cause de l'incident avec les munitions qu'il m'avait ordonné de garder chez moi, il essayait d'être plus aimable. C'était le moins qu'il pouvait faire. Ce jour-là, après qu'Alfonso a mis le feu au jardin et que ma famille a failli être réduite en miettes, je suis allé directement le voir, non pas dans l'intention d'avoir une discussion amicale. En fait, ce jour-là, deux gardes m'ont empêché d'étrangler l'homme.

- J'ai besoin de parler à Elías mais je ne sais même pas s'il est encore dans l'armée.

- Attends une minute, laisse-moi passer un coup de fil.

Je ne sais à qui il a parlé mais après avoir raccroché, il n'a eu qu'à attendre quelques minutes avant que le téléphone sonne à nouveau.

- Eh bien le voilà, tu peux lui parler.

- Elías, c'est toi ? Comment vas-tu ? Je fais vite, tu sais où je suis. Écoute, j'ai besoin que tu me donnes le numéro de Pilar. Oui, c'est ça, le numéro de Pilar. Non, pas pour une fête, j'en ai assez avec ma femme... !

Quel personnage ! Je ne sais pas depuis combien d'années ils sortaient ensemble. Je lui ai dit et répété de l'épouser, mais rien à faire, il voulait rester célibataire. Alors, quand je lui ai demandé le numéro de Pilar pour discuter de la recommandation, il me demande si je veux l'inviter à danser. J'ai eu tout de suite envie de continuer sa blague mais nous ne sommes plus des gosses...

Dès que je suis rentré à la maison cet après-midi-là, j'ai appelé la petite amie d'Elías. Je lui ai expliqué la situation et elle m'a dit de ne pas m'inquiéter, qu'elle me rappellerait dès qu'elle aurait des nouvelles. Nous avions l'habitude de beaucoup sortir ensemble, tous les quatre. Nous passions de très bons moments le dimanche, allant au cinéma, nous promenant dans le parc et occasionnellement dînant au restaurant, bien que ce ne fût pas toujours à notre portée. Je m'en souviens comme si c'était hier, nous avons vécu des milliers d'aventures ensemble, surtout dans les premiers mois, quand nous venions juste d'entrer dans l'armée. Elías était l'un de mes meilleurs amis là-bas. Quand on est jeune, l'amitié est l'une de vos premières priorités mais au fil de la vie, on commence à se concentrer sur d'autres choses. Après avoir été mutés à différents endroits et surtout, après la naissance de mes enfants, les occasions de nous voir ont considérablement diminué.

Trois jours sont passés sans nouvelles, puis un soir, on a sonné à la porte à la maison. Pilar était venue nous voir. Dès qu'elle est entrée, elle m'a donné une lettre de recommandation. Qui l'eût cru ? Je n'avais certainement jamais imaginé obtenir une recommandation pour rejoindre Iberia. Les choses se présentaient légèrement mieux. Voyons ce que ce petit insolent du service des admissions allait dire maintenant.

Nous avons convaincu Pilar de rester dîner et nous avons beaucoup parlé des nombreux tours et détours de la vie, nous avons évoqué les bons moments et aussi parlé de l'avenir.

- Que compte faire Elías ? Veut-il poursuivre une carrière militaire ? Tu pourrais aussi le faire entrer dans la compagnie...

J'ai dit cela sans réfléchir mais j'ai immédiatement remarqué la moue de Pilar. Bien sûr, il était toujours terrifié à l'idée de voler et apparemment, c'est pourquoi il avait demandé sa mutation. Pour lui, un poste aussi laborieux que celui d'intendant était en fait une bénédiction. Tout emploi qui ne l'obligeait pas à quitter le plancher des vaches était une bonne chose.

Ce matin-là, je suis retourné d'un pas ferme et résolu au bureau d'Iberia. Du bout du couloir, j'ai pu distinguer la silhouette ratatinée et voûtée du vieil homme en charge. J'ai souri intérieurement en pensant à la surprise qu'il allait avoir en me voyant à nouveau, surtout à la lettre que j'apportais - à condition qu'on ne l'ait pas prévenu avant par téléphone.

- Très bonne journée à vous, monsieur, - ai-je insisté cette fois, conscient de son caractère acariâtre.

Il m'a regardé avec indifférence, presque comme s'il ne m'avait pas entendu. Après avoir passé quelques secondes à entasser des piles de dossiers qui étaient sûrement des rapports, il a quitté son bureau et s'est approché de moi.

- On dirait que vous êtes assez persévérant mais je vous ai déjà dit que vous arrivez deux ans trop tard.

- Regardez, j'ai une recommandation. Vous avez dit...

L'homme devait être en colère contre le monde entier. De toute ma vie, je n'avais jamais vu quelqu'un d'aussi amer. Peut-être que sa femme le trompait ou alors que sa belle-mère vivait chez eux ? Certains ont l'air en colère depuis l'enfance - peut-être que le premier jour d'école, son institutrice l'avait réprimandé et humilié devant tous les autres enfants. Quoi qu'il en soit, c'était moi qui devais composer avec lui maintenant.

- Il semble que vous ayez une bonne recommandation, donc je n'ai pas d'autre choix que d'accepter votre candidature.

Il a rassemblé tous les documents, les a mis dans un dossier cartonné et l'a posé sur l'étagère du haut de la bibliothèque derrière lui.

- Voilà. J'ai fait ma part, j'ai accepté la candidature, donc vous pouvez partir maintenant.

Ça n'allait pas du tout. Je me retrouvais à nouveau face à une bataille difficile. Peu importe votre intelligence, votre expérience ou votre CV impeccable - si vous n'êtes pas ami avec la personne en charge, il n'y a rien à faire. Elías s'était donné tout ce mal pour demander une grosse faveur à Pilar et tout ça pour rien. Bien sûr, le général avait appelé le service aviation mais comme l'homme l'avait dit, il avait fait son travail, accepté ma demande et l'avait posée sur l'étagère du haut pour qu'elle y reste jusqu'à la fin des temps. Je n'avais pas d'autre choix que de continuer ma vie quotidienne. Cependant, comme je ne suis pas du genre à abandonner facilement, toutes les semaines je me rendais au ministère pour m'informer des prochains appels à candidature.

Quelques années sont passées puis un jour, j'ai appris qu'enfin, ils ouvraient de nouveaux postes. Je me suis inscrit pour l'examen et, une fois de plus, j'ai soumis toute la documentation nécessaire, et encore une fois, j'ai dû voir le fonctionnaire aigri qui m'a immédiatement reconnu. Cette fois, il a collecté les formulaires sans poser de question. Il semblait que plus d'une personne s'était plainte de son attitude mais visiblement, il devait être le cousin de quelqu'un de très important car on ne l'avait muté nulle part ailleurs.

Ça faisait un moment que je n'avais pas passé d'examen et je me sentais nerveux ce matin-là à la table du petit-déjeuner. Je savais que j'étais bien préparé, j'étais sûrement l'une des personnes les plus qualifiées pour ce poste. Heureusement, bien que le test ait lieu au même ministère, la personne en charge des admissions n'avait plus rien à voir avec le processus. Il y avait plus de cent candidats et seulement quatre postes et si j'étais assez nerveux, je me sentais aussi confiant. Une fois assis à nos bureaux et le questionnaire distribué, je me suis senti totalement détendu car la plupart des questions étaient des problèmes mathématiques et de navigation - ma spécialité. Je me suis concentré sur les questions et ai passé quelques bonnes heures à les finir. Beaucoup avaient déjà rendu leur copie, certains avaient même laissé toutes les questions en blanc. D'autres essayaient encore de les remplir avec ce qui leur passait par la tête, espérant une inspiration divine.

Les jours après le test, j'étais très nerveux, attendant toujours la notification qui n'arrivait jamais, peu importe le temps que j'attendais le facteur, il arrivait toujours les mains vides. J'avais les clés de la boîte aux lettres à portée de main et chaque fois que je le voyais passer, je l'ouvrais en m'attendant à trouver une lettre du ministère. Ma femme en avait assez de m'entendre demander le facteur. Après le premier mois, je suis allé au bureau de poste demander si on m'avait envoyé un avis quelconque mais rien, il n'y avait rien. Quelque chose n'allait pas. Il était clair qu'il y avait anguille sous roche. Je suis retourné au ministère et une fois de plus, j'ai dû affronter ce sinistre personnage.

- J'ai passé les derniers examens et je n'ai toujours pas reçu de nouvelles.

- Voyons voir. Votre nom est Nuñez, c'est ça ? Oui, je l'ai ici. Vous avez réussi l'examen avec la meilleure note mais comme vous n'avez fourni aucun document, ça a été rejeté.

- Comment ça, je n'ai soumis aucun document ? Je vous les ai donnés personnellement !

- C'est ce que vous dites mais nous n'avons aucun document ici qui le prouve. Avez-vous une preuve de dépôt ?

- Non, je n'ai aucune preuve.

- Eh bien dans ce cas, ne vous donnez pas cette peine, je vous dis que vous ne m'avez rien donné.

Mais bon sang, qu'est-ce que je lui avais fait à cette pitoyable âme ? Difficile de comprendre pourquoi certaines personnes semblent vous avoir dans le collimateur avant même de vous rencontrer. Il compliquait ma vie et celle de ma famille et simplement parce qu'il ne m'avait pas aimé dès le départ. Peut-être parce que je lui avais souhaité une bonne journée avec trop d'emphase ? Je me suis retenu et ai respiré profondément car tout ce que je voulais, c'était l'attraper par la gorge. Mais ça n'aurait rien résolu, au contraire, ça aurait probablement empiré les choses. C'était sa parole contre la mienne et je me serais sans doute retrouvé arrêté et emmené au commissariat. Puis une idée m'est venue :

- S'il vous plaît, je voudrais parler à votre supérieur.

- Je vous ai dit d'arrêter de me faire perdre mon temps...

- C'est mon droit et j'exige de parler à votre supérieur.

- D'accord, d'accord, inutile de vous énerver.

Il a accepté, sachant très bien que son patron lui donnerait raison et que je finirais par passer pour un idiot.

Il a passé un coup de fil et puis un homme plus âgé, aux cheveux gris et à la moustache, est apparu.

- Bonjour. Quel seems to be le problème ?

J'ai immédiatement vu que c'était une personne intelligente et perspicace. Le petit homme a changé d'attitude et s'est comporté avec soumission, comme un ver. Il a essayé d'argumenter que je n'avais soumis aucun document. Il savait que c'était sa parole contre la mienne, et bien sûr, il semblait qu'il avait l'avantage.

Le superviseur m'a parlé poliment mais sur un ton lugubre, presque comme s'il me présentait ses condoléances.

- Je suis désolé, monsieur Nuñez, mais nous n'avons aucun document ni preuve que vous les aviez déposés.

Et puis, une petite ampoule s'est allumée dans ma tête :

- Pourriez-vous jeter un œil à l'étagère, s'il vous plaît ?

Le directeur fouillait dans les documents, riant intérieurement, sachant très bien qu'il s'était débarrassé de ma paperasse.

- Regardez dans ce dossier rougeâtre, je pense que c'est le mien, ai-je dit en montrant l'étagère du haut où les vieux papiers avaient été laissés des années auparavant.

Il a ouvert le dossier et son visage est devenu livide - il ne se souvenait plus de tous ces documents. En les voyant, il s'est figé.

Le directeur lui a arraché des mains et l'a parcouru rapidement.

- Eh bien, il semble que tout soit en ordre. Monsieur Nuñez, vous êtes désormais employé d'Iberia - puis il a scellé les documents et m'a remis le certificat d'approbation.

Je suis parti tellement ravi que j'avais envie de sauter et de grimper aux murs du ministère. Mais avant de quitter le bureau, j'ai entendu le chef réprimander le directeur, le traitant d'incompétent et disant que même s'il ne pouvait pas le mettre au chômage, il allait sûrement changer son poste actuel pour celui de concierge.

Chapitre 9

Sans aucun doute, les années 1950 et 1960 furent parmi les plus glamour de l'histoire de l'aviation - tous les avions fabriqués à cette époque étaient de superbes machineries. Iberia utilisait le DC-3 pour les vols intérieurs, un magnifique appareil que j'adorais piloter. Les équipages étaient incroyables - les hôtesses espagnoles étaient les plus qualifiées, les plus belles et les plus intelligentes. C'était vraiment le nec plus ultra. Attentives, cultivées et sophistiquées, il ne leur fallait pas plus de deux mois pour trouver un prétendant. Non, ce n'étaient pas elles qui cherchaient le mariage - c'étaient les hommes. Après tout, que pouvait vouloir de plus un homme ? Outre tous ces atouts, elles avaient été soigneusement sélectionnées et la plupart venaient de très bonnes familles. Pour ma part cependant, personne n'égalait ma Conchita - elle était aussi jolie qu'on peut l'être.

Quels merveilleux jours ! J'étais amoureux de ces magnifiques machines en aluminium brillant qui semblaient prendre vie avec ces vieux moteurs à pistons et énormes hélices. Elles accéléraient avec fougue et rage comme des pur-sang. À l'époque, piloter était un art, il fallait laisser de côté tous les calculs mathématiques et se laisser guider par l'instinct. Il n'y avait pas de commandes électroniques, de navigation assistée ou d'ordinateurs, vous deviez vous fier à la machine pour voler de nuit ou dans les nuages. En traversant une tempête, nous devions avoir foi en ces panneaux d'aluminium faits main. Souvent, sinon toujours, si nous nous trouvions en difficulté, c'était généralement dû à l'orgueil humain, à notre témérité de vouloir défier Mère Nature.

Je me souviens qu'après seulement quelques vols, lors d'un trajet de Madrid à Valence qui prenait environ une heure et demie avec le DC-3 - à peu près le même temps que les trains à grande vitesse d'aujourd'hui - on nous avait prévenus à la radio d'une possible grosse tempête. Le pilote a décidé de décoller quand même. Il est juste de dire que lorsque l'homme décide de défier les éléments, il a de fortes chances de perdre. À mi-chemin, notre visibilité a considérablement diminué, le jour est devenu noir d'encre et la foudre a frappé de part et d'autre de l'avion. Je me suis immédiatement souvenu de ce vol en Heinkel qui avait failli nous coûter la vie. Cela faisait des années que cet épisode s'était produit mais je me rappelais encore très bien cette sensation unique. Comme si tout ce temps j'étais resté pris dans la même tempête, comme si nous ne l'avions jamais laissée derrière nous, comme si nous n'avions jamais réussi à atterrir.

Le pilote était très nerveux et commençait à s'énerver.

- Je n'aurais pas dû décoller, je n'aurais pas dû.

- C'est du passé maintenant. Concentrez-vous s'il vous plaît sur le pilotage.

Nous volions depuis plus de deux heures et nous ne savions pas où nous étions. J'ai commencé à appeler à l'aide à la radio et soudain, quelque chose de très étrange s'est produit - parmi tout le vacarme et le bruit de l'orage, j'ai commencé à recevoir un signal radio. Le poste de contrôle d'Albacete s'est identifié. Était-ce possible ? Encore ce même poste qui nous avait sortis de la tempête il y a près de dix ans. C'était incroyable. La transmission disait qu'il nous avait localisés au radar, de continuer plein est et qu'en vingt minutes nous sortirions de la tempête. Les vents étaient si forts que même à pleine puissance, l'avion avançait à peine. Il nous a fallu plus de trois heures pour parcourir la distance. En nous échappant de l'orage, le soleil a de nouveau brillé et soudain, je me suis senti rajeuni de dix ans. J'ai su alors que la tempête serait toujours là, à m'attendre.

Chapitre 10

On se souvient toujours de son premier jour comme de quelque chose de spécial mais la vérité est que mon premier jour dans la compagnie n'a rien eu d'excitant. J'avais commencé à voyager sur des vols intérieurs : Madrid - Barcelone, Madrid - La Corogne... Habitué à mon vieil équipage fou du Groupe 14, c'était merveilleux. Et puis, la Caravelle était un avion formidable, beaucoup de pilotes disaient qu'elle était comme une mère protectrice et attentionnée - et ils avaient raison. Compte tenu des ressources techniques limitées que nous avions à l'époque et la fréquence à laquelle nous volions dans des conditions météorologiques défavorables, ce docile avion est celui qui nous ramenait sains et saufs à nos familles. Bien que le lancement du AirComet soit prévu sous peu, l'idée n'a jamais décollé. La Caravelle, en revanche, était moderne, confortable, polyvalente et facile à piloter. L'un des tests les plus célèbres faits en publicité consistait à poser un verre de champagne plein sur une des tables escamotables et regarder si une goutte se renversait pendant le vol. Les vibrations du moteur des anciens appareils auraient aspergé tout l'avion de liqueur.

Dans l'armée, il était plus courant de rester dans un groupe ou une compagnie. Ici, cependant, on ne savait jamais avec quel pilote on allait voler. Je travaillais comme copilote pour Iberia depuis environ un an, peut-être plus, quand un matin je me suis présenté tôt pour le service - rien d'inhabituel. Je suis monté à bord de la Caravelle, j'ai pénétré dans le cockpit encore vide et je me suis assis à ma place. Puis est venu le reste de l'équipage. Enfin, tout le monde sauf le pilote. Les passagers ont embarqué mais nous attendions toujours l'arrivée du commandant de bord. Après avoir été avertis à plusieurs reprises par la tour de contrôle, le commandant est apparu, tranquille comme Baptiste. Je n'en croyais pas mes yeux.

- Nuñez, mais qu'est-ce que tu fais là !

- Je pourrais poser la même question ! Ne me dis pas que tu es le pilote ? Quand as-tu obtenu ta licence ?

C'était Ramirez. La vérité, je ne sais pas pourquoi j'ai été surpris. Il ne faisait aucun doute quant à la façon dont il avait obtenu sa licence et décroché un poste dans la compagnie. Ce que je ne comprenais pas, c'est pourquoi on ne lui avait pas filé un job tranquille dans un des bureaux du ministère.

Ce n'était pas un bon départ et le retard n'allait être que le commencement. La vérité, c'est qu'en le regardant décoller, j'ai commencé à craindre pour ma vie. C'est une des choses que je ne comprends toujours pas. Il pouvait être sympathique, avoir des relations, mais c'était un pilote sans espoir. Comment quelqu'un a pris le risque de lui délivrer une licence de vol me dépasse. Ce n'était pas un boulot de facteur. Si un facteur mélange quelques lettres qui n'arrivent pas à destination, ce n'est pas la fin du monde. Cependant, piloter un avion mettait non seulement en danger la vie de tous les occupants mais aussi celle de tous les habitants des villes survolées.

J'ai pratiquement dû piloter l'avion jusqu'à La Corogne, bien que Ramirez ait semblé agacé chaque fois que je touchais les commandes. Il hésitait, réfléchissant, sans vraiment savoir quel interrupteur actionner.

- T'inquiète pas Nuñez, je vais m'occuper de ce bébé !

C'était la partie la plus effrayante pour moi... Heureusement le vol était court et nous avons entamé la manœuvre d'approche en un rien de temps. Ce jour-là, le temps était assez mauvais en Galice - une tempête arrivait du nord de la péninsule, la visibilité était terrible, surtout près de l'aéroport. On aurait dit qu'un nuage - blanc et dense -, avait décidé de rester coincé dans cette zone.

- Je vais approcher à basse altitude.

- Il n'y a pas de repères visuels, je ne pense pas que ce soit une bonne idée.

Il a totalement ignoré mon commentaire et a commencé à descendre. Le brouillard nous a engloutis complètement.

- L'estuaire doit sûrement être par ici - une fois que je l'aurai trouvé, je volerai vers l'aéroport.

- Nous volons très bas. Avez-vous pris en compte qu'il y a beaucoup de montagnes dans le coin ?

- Arrête de râler, Nuñez, je peux poser cet engin les yeux bandés.

Nous avons fait une première approche sans trace de l'estuaire, encore moins de l'aéroport. Mais Ramirez campait sur ses positions. L'homme était fou. Retour à la case départ et cette fois il a volé encore plus bas. Si on continuait à descendre l'avion à ce rythme, il était clair que nous allions toucher le sol - eh bien, le sol ou la mer ou tout ce sur quoi nous allions nous écraser. Au troisième passage, Ramirez a commencé à perdre confiance, il était évident que si on continuait à voler si bas dans le brouillard, on allait finir par percuter quelque chose. Je ne sais pas combien d'avions volaient dans cette zone ce jour-là ni à quel point nous avons failli nous écraser sur l'un d'eux. Comme le disent souvent les gens, en cette occasion, la Vierge Marie nous a guidés.

- Nous devons monter et demander l'autorisation d'atterrir à Santiago maintenant.

Si je n'avais pas prononcé ces mots de manière autoritaire, comme si j'allais lui mettre mon poing dans le nez, il aurait continué à tourner en rond jusqu'à ce que l'avion s'écrase. Nous avons réussi à survivre mais c'est comme ça que la plupart des accidents se produisent. C'est exactement comme ça qu'un pilote fatigué ou inexpérimenté commet une erreur et que le reste de l'équipage n'ose pas défier son autorité. Il y a eu des cas où des pilotes se sont écrasés pour ne pas avoir osé demander l'autorisation d'effectuer un atterrissage d'urgence sur une piste. Plus précisément, un vol d'une compagnie malaisienne - le commandant ne parlait pas très bien anglais et, arrivant dans un aéroport américain sans une goutte de carburant dans les réservoirs, il a demandé au contrôleur une piste d'atterrissage. La réponse ? Attendez votre tour comme tout le monde. Le pilote a essayé de communiquer que l'avion était sur le point de tomber en panne sèche. Le contrôleur aérien, qui l'imaginait avec plusieurs heures de carburant, lui a ordonné de faire des tours dans le ciel en l'attendant et le pilote, au lieu d'insister, a attendu son tour. Puis la tragédie a frappé.

Je suis rentré à Madrid avec un autre équipage. En atterrissant, j'ai signalé ce qui s'était passé, non pas parce que j'avais de mauvais rapports avec Ramirez, mais pour lui rendre service et éviter un désastre potentiel. C'était un homme avec des relations, l'une des choses les plus importantes dans ce pays. Malheureusement, qui vous connaissez compte plus que vos compétences. Ce soir-là, alors que j'allais me coucher, le téléphone a sonné. C'était le directeur de l'aviation civile en personne. Il m'a demandé si j'étais certain de ce que j'avais rapporté. Si je confirmais le rapport, je devais me présenter le lendemain devant lui.

- Il suffit de demander au reste de l'équipage, sans parler des passagers...

Eh bien, le lendemain matin à neuf heures j'étais à la porte du bureau du directeur, et peu après arriva Ramirez. Les preuves étaient accablantes. De plus, il y avait le rapport de la tour de contrôle de La Corogne, où ils avaient enregistré cinq tentatives d'atterrissage. De toute façon, Ramirez s'en moquait, il avait l'habitude d'obtenir ce qu'il voulait, sinon il parlerait à son père pour arranger les choses. L'homme qui l'interrogeait, le directeur, était le même qui avait validé ma candidature pour entrer dans la compagnie.

Quand il eut terminé, et que nous étions sur le point de partir tous les deux, il a dit :

- Nuñez, restez un instant.

Je me suis arrêté et me suis tenu droit devant la table en bois massif qui servait de bureau. Les documents restaient soigneusement empilés de chaque côté. L'homme m'a regardé droit dans les yeux. Un instant, j'ai pensé que les relations de Ramirez allaient jusqu'au sommet et que j'allais maintenant me faire réprimander.

- Vous avez bien fait. Je ne sais pas qui est le père de Ramirez et je m'en moque. Si quelqu'un n'est pas un bon pilote, il devrait chercher un autre travail.

- Il est encore jeune, peut-être qu'avec un peu d'entraînement...

- Non, nous savons tous les deux qu'il est inapte et qu'il vaut mieux pour lui et pour tout le monde qu'il s'en aille au plus vite.

Quand j'ai soumis mon rapport, je l'ai fait parce que c'est obligatoire. Je ne pouvais pas mentir alors que tout l'équipage savait ce qui s'était passé. De plus, il y avait les données complémentaires de la tour de contrôle. Je n'ai jamais imaginé qu'ils le licencieraient - le rétrograder copilote quelque temps pour apprendre aux côtés de pilotes plus expérimentés, mais ce que le directeur avait dit était vrai - Ramirez n'apprendrait jamais à bien piloter un avion.

Chapitre 11

Nous passions beaucoup de temps à nous entraîner pour chaque poste, pour chaque appareil et même pour chaque modèle particulier - il y avait toujours un stage de remise à niveau ou un autre auquel s'inscrire. J'avais pris l'habitude d'utiliser les plans et manuels pour chaque nouvel avion pour tapisser ma maison, littéralement. Ma femme était très énervée parce que ça laissait des trous d'épingles partout mais c'était la meilleure façon de me familiariser avec les nouveaux systèmes. Ainsi, je pouvais étudier toutes les informations du moment où j'ouvrais les yeux chaque matin jusqu'à ce que j'aille me coucher.

Le DC-10 était l'un des avions les plus modernes, un énorme bond en avant par rapport à la Caravelle - seul le Boeing 747 Jumbo était plus sophistiqué que le DC-10. J'avais piloté des milliers d'heures ce magnifique appareil et maintenant on me demandait de passer un test dessus. Pourtant, comme toujours, je me suis préparé du mieux possible. Le cours avait lieu à Rome. C'était toujours pareil - ceux qui avaient des relations au ministère finissaient par être les instructeurs car ils étaient très bien payés.

La plupart des pilotes étaient en retard, comme toujours - ils s'en moquaient. L'instructeur ne maîtrisait pas très bien le sujet et a commencé par un exercice pratique. J'ai dû le corriger à plusieurs reprises et les esprits ont commencé à s'échauffer. Finalement, pour éviter d'avoir des ennuis, j'ai décidé de quitter le cours. L'homme voulait me donner des leçons sur l'avionique du DC-10 - Moi ! Après que j'ai passé des mois à dévisager tous ses schémas ! J'en savais sûrement presque autant que le constructeur lui-même mais certaines personnes ne veulent tout simplement pas entendre la vérité. Alors je me suis enfui et je suis allé à la cafétéria. J'avais passé une assez mauvaise semaine. Il y a quelques jours, ma mère était décédée et je n'avais aucune envie de me lancer dans des discussions absurdes.

Là, j'ai rencontré un groupe d'Anglais et, juste pour me remémorer le bon vieux temps, je les ai invités à boire un verre en échange d'un peu de conversation légère.

- Accepteriez-vous une bière de ma part ? J'aime pratiquer mon anglais - le groupe de cadres a ri.

- Bien sûr, pourquoi pas, asseyez-vous.

- Que faites-vous dans la vie ?

- Je suis pilote chez Iberia.

- Ah ! Très bien, nous nous rendons à Rota aujourd'hui et ensuite, après quelques réglages, nous atterrirons à Madrid où nous aurons un peu de temps libre. Que nous recommanderiez-vous de faire là-bas ?

- Eh bien, vous pourriez prendre un taxi et vous rapprocher pour visiter le Prado.

- Et sur quel type d'appareil volez-vous ?

- Je pilote le DC-10.

- Quel système de navigation utilisez-vous ?

- Le DC-10 intègre le Liton 72, à navigation inertielle.

- Non, ce n'est pas possible, vous devez vous tromper, il ne peut pas utiliser le Liton 72.

- J'étudie en ce moment donc j'en suis sûr à 100%.

- Écoutez, nous sommes les constructeurs et je peux vous assurer qu'aucun avion de ligne n'emporte le Liton 72.

- Mais je vous dis que les nouveaux avions achetés par Iberia intègrent le Liton 72.

Ils étaient sidérés. Ils insistaient sur le fait que ce que je disais était impossible.

- Comment ça, c'est impossible ? Je les pilote et j'ai tous les manuels à la maison !

Ils se sont regardés et l'un d'eux s'est levé, se prenant la tête dans les mains, incrédule. Ils ne voulaient plus en parler et je suis resté avec un gros point d'interrogation au-dessus de la tête. J'avais l'impression que j'inventais tout cela. Juste quelques jours plus tard, les nouveaux modèles ont été envoyés en révision et le dispositif de navigation a disparu de tous. Des années plus tard, nous avons appris qu'il s'agissait d'un système top secret, un système novateur conçu par les Britanniques, disponible uniquement sur certains de leurs avions militaires. Apparemment, une erreur du constructeur avait équipé ces appareils d'Iberia avec un dispositif top secret britannique.

Chapitre 12

Traverser l'océan Atlantique était toujours une sacrée entreprise. Bien que nous utilisions pratiquement le pilotage automatique pour diriger l'avion, j'étais toujours particulièrement attentif à tous les paramètres indiqués par les voyants. Je connais beaucoup d'équipages qui ont fait le trajet en dormant. C'est vrai. Aussi incroyable que cela puisse paraître, tout l'équipage dormait des heures durant, espérant que l'avion et ses ordinateurs feraient tout le travail. Durant toutes mes années de service en tant que copilote ou commandant, je n'ai personnellement jamais dormi pendant les heures de travail.

L'hiver à Toronto était très rude. Beaucoup de pilotes qui volaient vers cette destination à cette saison ne descendaient même pas de l'avion. Ils attendaient que l'appareil soit ravitaillé et certains passaient même la nuit à l'intérieur. Moi j'allais faire du shopping. À cette période de l'année, pendant les fêtes de Noël, la ville était magnifique. Un des membres de notre équipage avait acheté une énorme dinde - elle était si grosse que nous n'arrivions pas à la faire entrer dans le réfrigérateur. Heureusement qu'au Canada ce n'était pas un problème, il suffisait de l'accrocher à la fenêtre. Dans le centre-ville il y avait une patinoire et je suis allé admirer les prouesses époustouflantes de certains de ces patineurs canadiens très habiles. À les regarder glisser sur la glace, on avait juste envie de louer des patins et d'essayer sa chance mais je me suis rappelé à quel point j'étais mauvais pour monter sur la vieille bicyclette du commandant, alors j'ai présumé qu'il me faudrait bien plus d'équilibre pour ça.

La ville était décorée de milliers de lumières colorées et de décorations de Noël. Après avoir marché jusqu'à tard dans la nuit, j'ai décidé de rentrer à l'hôtel me reposer un peu avant le vol retour. La vérité est que le décalage horaire me rendait difficile de dormir mais j'avais besoin de mettre mes pieds en l'air un moment.

Le téléphone a sonné. J'ai décroché et la réceptionniste m'a dit qu'il était l'heure d'embarquer. J'ai pris une douche rapide, enfilé l'impressionnant uniforme bleu marine à boutons dorés et suis parti pour l'aéroport. L'air était glacial, froid et piquant, le ciel couvert dissimulait le soleil. C'était une mauvaise journée pour voler mais je ne pouvais pas attendre de laisser derrière moi la tempête de neige et de glace qui était annoncée. Le service météo avait prévenu qu'il était probable que dans quelques heures, les services de l'aéroport ne soient plus opérationnels. J'espérais que tout l'équipage embarque à l'heure.

J'ai effectué une inspection visuelle de l'appareil. J'ai commencé par l'empennage, bien que l'énorme Jumbo rende difficile d'apprécier les détails. Après avoir vérifié tout l'avion je l'ai certifié en ordre. La machine venait juste d'être lavée avec du liquide antigel mais les basses températures ce jour-là voulaient dire qu'une fois en altitude, des plaques de glace allaient se former rapidement. Une fois à l'intérieur, je me sentais comme chez moi. La cabine du Boeing 747 était énorme comparée aux premiers avions militaires dans lesquels j'ai volé. Tout l'équipage était à son poste et le dernier passager est monté à bord. Une des hôtesses a fermé la porte et la passerelle s'est automatiquement retirée. J'ai reçu l'autorisation de rouler jusqu'au seuil de piste à la radio. Puis l'hôtesse a procédé aux explications de sécurité habituelles aux passagers, d'abord en anglais, puis en français et enfin en espagnol. J'ai arrêté l'appareil au niveau des marques de départ. Une ultime vérification de tous les voyants. Le copilote est chargé de passer en revue les cadrans de fonctionnement pendant que nous attendons la confirmation du décollage de la tour de contrôle. À ce moment, tout l'équipage sauf les agents de bord se trouve dans le cockpit - ils restent dans un espace juste derrière les passagers, séparés par des rideaux.

Le décollage est l'une des manœuvres les plus délicates. Il est indispensable de rester concentré au maximum car la moindre petite erreur peut provoquer une catastrophe. Si l'avion n'atteint pas une vitesse suffisante, si le moteur ne développe pas toute sa puissance, si les volets et becs ne sont pas dans la bonne position, l'appareil peut avoir du mal à prendre de l'altitude, et à cette hauteur, un atterrissage d'urgence serait très problématique. La réglementation aérienne exige que l'équipage reste dans le silence total pendant le décollage car nous sommes tous vigilants, les yeux rivés sur les instruments, et au moindre indice anormal, l'interruption du décollage peut être déclenchée rapidement. Pour cette raison, selon l'avion et la longueur de la piste, une distance maximale est prévue. Passé ce point, nous devons décoller quoi qu'il arrive car il serait impossible d'arrêter l'avion en toute sécurité.

- India, bravo, vol : huit, huit, neuf, un a l'autorisation de décoller - le vol IB 8891 a l'autorisation de décoller.

- Vol : India, bravo, huit, huit, neuf, un, début du décollage. - Le vol IB 8891 entame la manœuvre de décollage.

J'ai doucement poussé les quatre petites manettes des gaz qui, ensemble, forment l'accélérateur. Les turbines ont commencé à aspirer l'air lentement, leur sifflement devenant plus aigu. En atteignant la pleine puissance, j'ai déverrouillé les roues et l'énorme Jumbo a entamé le décollage. Il y avait un silence absolu dans le cockpit, personne ne disait rien pendant que nous étions concentrés sur les instruments. Durant les premiers mètres, l'accélération était faible mais une fois lancés, nous avons rapidement dépassé les cent miles à l'heure. Nous étions sur le point de franchir le point de non-retour, alors j'ai commencé à tirer doucement les commandes vers moi.

- La dinde, la dinde !

Rodrigo a crié dans mon oreille droite. Je ne savais pas ce qui se passait - pendant un instant la panique s'est propagée dans le cockpit. J'ai réduit les gaz et le moteur a immédiatement perdu de la puissance. La situation était critique, car nous venions juste de dépasser le seuil d'urgence - si j'interrompais le décollage maintenant, nous pouvions déraper hors de la piste avec le réservoir plein de kérosène...

Gonzalo, le copilote, a actionné tous les interrupteurs selon la procédure, essayant d'arrêter le 747 dans le plus court espace possible. J'ai essayé de le guider mais la fin de la piste se rapprochait vite. J'ai enfoncé la pédale droite et l'avion a vivement tourné vers le bord de l'asphalte, puis j'ai fait la même chose avec l'autre jambe. En zigzaguant, j'ai réussi à augmenter la longueur de la piste et la machine a perdu de la vitesse. L'avion s'est arrêté juste après avoir dépassé les dernières bandes de peinture. Certains passagers vomissaient et un homme a fait une crise de panique.

- Qu'est-ce qui s'est passé ? ai-je demandé, encore terrifié.

Rodrigo est resté pâle et muet, les yeux baissés, incapable d'articuler un mot.

- Eh bien Rodrigo, tu veux bien nous dire ce qui s'est passé ?

- Voyez-vous, j'ai oublié la dinde à la fenêtre.

- La dinde à la fenêtre ? Je vais te tuer, que quelqu'un me retienne ou je vais le tuer ! - a hurlé Gonzalo.

Chapitre 13

Croyez-le ou non mais le trafic entre l'Amérique et l'Europe est si intense qu'il arrive très souvent des embouteillages dans le ciel. Des avions décollent continuellement et les contrôleurs aériens sont chargés de nous faire sortir de leur espace aérien en toute sécurité, en ligne droite. Après ça, quand nous survolons l'océan, nous veillons à maintenir notre vitesse et altitude pour respecter la distance avec l'avion qui nous précède et celui qui nous suit. Par temps clair, on peut voir une partie du convoi et la nuit parfois apercevoir les feux de position des autres appareils. Avec tout ce trafic aérien, il n'est pas étonnant que certaines personnes croient avoir vu des lumières dans le ciel mais nous laisserons le sujet des OVNIS pour une autre fois, car ayant passé tant de temps là-haut j'ai plein d'histoires à raconter.

Nous avons décollé de l'aéroport international de Mexico "Benito Juárez". À l'époque, il s'appelait autrement mais depuis sa construction, il a subi plusieurs rénovations et agrandissements en annexant de nouveaux terrains et l'ancien aérodrome militaire avoisinant. Bientôt, il devint connu comme l'aéroport de Mexico. Nous nous sommes positionnés sur notre route imaginaire, suivant un avion d'Aeromexico. Ces autoroutes n'étaient pas seulement conçues pour organiser le trafic aérien. Gardez à l'esprit qu'une fois décollés, nous nous éloignions de l'aéroport pour entrer dans les eaux internationales – à ce moment, nous étions seuls. Nous n'étions qu'un petit point dans le ciel planant quelque part au-dessus de l'immensité de l'océan. Une autre raison est que le ciel a des courants comparables aux fleuves au sol – des flux d'air qui se forment à différentes altitudes. Nous avons mis beaucoup de temps et d'efforts pour seulement commencer à les comprendre. Les premiers avions entraient par inadvertance dans le courant connu sous le nom de "Jet". En y pénétrant, ils ressentaient une secousse soudaine, plus ou moins violente selon leur vitesse de vol. Que s'était-il passé ? Voyez-vous, à cette époque nous devions nous guider avec une carte et une boussole – il n'y avait pas de balises ni d'appareils GPS. Je me souviens quand j'ai commencé à voler comme navigateur radio et que je devais essayer de déterminer où se trouvait l'avion en fonction de la puissance des émissions radio que je captais. Le fait est que lorsque les avions entraient dans le Jet, parfois c'était vers le sud et d'autres fois vers le nord. S'ils se rencontraient de front, l'avion pouvait à peine avancer mais l'équipage n'avait aucune idée qu'ils n'progressaient pas, la mer en dessous ne fournissant aucun repère visuel. Dans la plupart des cas, ils finissaient par s'écraser dans l'eau après avoir épuisé tout leur carburant. En revanche, ceux qui arrivaient de l'autre côté, s'ils avaient de la chance, parvenaient à atteindre leur destination en moitié moins de temps – c'est-à-dire s'ils ne traversaient pas le continent d'un bout à l'autre pour finir dans l'eau quand même.

C'était une nuit très claire et je voyais parfaitement les feux de position du Boeing 747 d'Aeromexico. Au bout de quelques heures, l'aube commença à poindre et le soleil se reflétait par moments sur le fuselage en aluminium, le faisant briller comme une étoile. Quand nous survolâmes l'Espagne, nous entamâmes notre descente. Les Mexicains firent de même mais à quelques kilomètres de l'aéroport Barajas, ils effectuèrent un virage inattendu. Nous vîmes l'énorme Jumbo faire un tour complet de trois cent soixante degrés et repasser à seulement quelques centaines de mètres de notre aile gauche. Comme c'était notre devoir, nous informâmes la tour de contrôle de ce qui s'était passé et ils se mirent immédiatement à appeler l'avion d'Aeromexico. Nous atterrîmes sans encombre à Madrid et, dès que j'eus posé le pied au sol, j'allai directement demander ce qui s'était passé, craignant que l'appareil n'ait eu une panne et se soit écrasé. Le superviseur d'Aeromexico apparut devant moi, son visage terrifié encadré par sa veste noire et sa cravate verte.

- Avez-vous déjà soumis un rapport écrit ?

- Non, je n'en ai pas encore eu le temps.

Il prit une profonde inspiration pour tenter de se calmer, expira lentement, inspira à nouveau et haleta :

- Parfois, il arrive des choses qu'il vaut mieux garder entre nous, vous voyez ce que je veux dire, des choses qui peuvent arriver à n'importe lequel d'entre nous et que le grand public ne pourra jamais comprendre. Parfois c'est le tour de l'un, parfois de l'autre.

- Si vous essayez de me convaincre de ne pas soumettre de rapport, ne vous inquiétez pas, tout a été enregistré par la tour de contrôle, je n'ai pas mon mot à dire là-dedans.

Je quittai l'aéroport sans apprendre ce qui s'était passé. Il était clair que l'avion ne s'était pas écrasé sinon il y aurait déjà eu des reportages partout dans les médias. Comme j'étais intrigué par l'événement car un avion ne disparaît pas comme ça en plein vol sans que personne ne sache rien, j'appelai le ministère de l'aviation. Je parlai au sous-directeur qui m'informa de ce qui s'était passé – tout l'équipage du vol Aeromexico s'était endormi. Ils avaient fait la fête la veille avant d'embarquer le lendemain. Une fois arrivés à destination, le pilote automatique activa le suivi de route et l'avion commença à faire le trajet en sens inverse. Heureusement, l'appel de la tour de contrôle les réveilla avant qu'une tragédie ne survienne car ils auraient pu entrer en collision frontale avec un autre appareil et, dans le meilleur des cas, tomber en panne de carburant pour finir dans la mer comme les premiers aviateurs.

Chapitre 14

Beaucoup de pilotes ne descendaient même pas de l'avion quand ils étaient dans un pays étranger, ils passaient souvent de longues heures calmement à l'intérieur de l'appareil. En vérité, nous y avions tout ce qu'il nous fallait – de la bonne nourriture et des boissons, de la musique, la télévision et la climatisation. J'ai toujours été fasciné par ce qui m'entoure. Je pense que c'était le résultat d'avoir dû visiter tant de villages différents avec mon père enfant. Alors même quand nous n'avions que quelques heures, je faisais un effort pour visiter les endroits où nous avions atterri. J'étais très intéressé par les cultures indigènes, surtout leur artisanat et comme nous avions l'autorisation d'emporter des cadeaux dans l'avion, je revenais toujours avec une nouvelle pièce. Au fil des années, j'ai réussi à constituer une assez belle collection d'objets fascinants. La plupart n'étaient que de simples bibelots inutiles que j'achetais pour donner un coup de main aux artisans. J'ai toujours été d'avis qu'il vaut mieux offrir à quelqu'un l'opportunité de travailler pour gagner sa vie plutôt que de lui faire l'aumône. Au final, je me liais d'amitié avec beaucoup de ces artistes. Je me souviens du cas d'un jeune homme fabriquant des sculptures sur bois – dès que j'ai vu son travail, j'ai su à quel point il était doué mais cet homme n'avait même pas de quoi manger et la faim le forçait à vendre ses outils. J'ai payé d'avance pour un buste en ébène, une grande pièce d'un mètre sur un mètre vingt. Je lui ai montré une photo de ma femme et il a fait du bon travail. Je l'ai encore dans mon salon. Je savais que ce jeune homme avait du potentiel, que c'était une bonne personne, travailleuse et un artiste formidable. J'ai commandé plusieurs autres œuvres, que j'ai données à ma famille et mes amis. C'étaient des portraits d'une qualité extrême. Il pouvait reproduire les classiques aussi bien que n'importe qui. J'ai parlé d'Augustín à tout le monde et, petit à petit, il a reçu de plus en plus de commandes. Des années sont passées et un jour j'ai reçu une lettre de lui, me remerciant pour tout et m'invitant à lui rendre visite chez lui quand je le voulais. Il était devenu un artiste à succès, son affaire avait tellement bien marché qu'il avait d'abord dû acheter un petit atelier, puis avait déménagé dans un plus grand avant d'ouvrir une académie.

Une autre expérience intéressante lors de mes voyages fut le jour où j'ai rencontré un musicien à Alicante. C'était un auteur-compositeur-interprète, il composait les paroles et la musique de ses chansons. Bien qu'il fût vraiment bon, les choses ne s'étaient pas bien passées pour lui. Il avait décidé de tenter l'aventure européenne presque sans le sou. Dès qu'il débarqua sur le vieux continent, il réalisa que ce serait très difficile, voire impossible, d'accéder aux maisons de disques. Le peu d'économies qu'il avait s'épuisèrent en un rien de temps et il fut forcé de faire la manche dans la rue pour gagner quelques sous. J'ai tout de suite compris que Jorge était un grand musicien et une belle personne. Nous avons longuement discuté et ensuite je l'ai invité à déjeuner dans un restaurant.

- Écoute, je ne suis pas exactement riche mais les choses vont plutôt bien. Comme je sais que tu n'accepteras pas un cadeau, je te ferai un prêt.

Je signai un chèque, ce n'était pas énorme mais suffisant pour qu'il puisse manger à sa faim et dormir à l'hôtel quelques jours. C'était tout. Six ans plus tard, nous voyagions au Venezuela avec ma famille et avons dîné dans l'un des clubs les plus en vogue de la ville, un endroit magnifique où l'on pouvait déguster de délicieux plats tout en écoutant de la musique live. Quand je me préparai à payer, le serveur me donna un billet de cent dollars au lieu de l'addition. Puis il dit :

- C'est offert par la maison, vous êtes invité à revenir quand vous voulez. Il m'a demandé de vous dire que ce paiement était depuis longtemps en retard.

Je regardai derrière moi et vis Jorge s'approcher de nous. Je lui serrai la main et il me donna une accolade très affectueuse.

- Tu as grossi, Jorge, on dirait que les choses vont bien pour toi.

- Je ne peux pas me plaindre. Depuis que nous avons parlé ce jour-là en Espagne, la chance a commencé à tourner pour moi. Je n'ai pas réussi comme chanteur mais j'ai eu plus de succès comme compositeur et plus tard, j'ai lancé une chaîne de restaurants proposant de la bonne nourriture et de la musique live. Tu vois, je ne peux pas me plaindre.

Tout le monde doit traverser des moments difficiles. Certains restent coincés dedans des années durant et tout ce dont ils ont besoin est d'un petit coup de pouce, quelqu'un pour les aider à revoir leur trajectoire de vol.

Chapitre 15

Comme j'étais assigné au Jumbo, je volais constamment vers l'Amérique, du Pôle Nord au Pôle Sud. Alors quand ma femme eut quelques jours de congé, je décidai de l'emmener au Guatemala. Il serait juste de dire qu'à cette époque, tout ce qu'il y avait dans ce pays, c'étaient des montagnes et des arbres. Ils venaient de découvrir les pyramides dans la jungle et comme je sais que Conchita est aussi fascinée que moi par ces choses, j'ai décidé de l'y emmener. L'aéroport n'était qu'un bout de ciment et quelques cabanes. La plupart des gens ne peuvent pas imaginer les endroits où un 747 devait atterrir. On quittait les aéroports modernes de l'Ouest, avec leurs tours de contrôle et leurs systèmes informatiques ultra sophistiqués, pour atterrir au cœur d'une jungle, sur une piste à moitié pavée avec quatre paillotes qui faisaient office d'aéroports.

Une fois au Guatemala, et après un long voyage, nous étions épuisés alors nous avons décidé de chercher immédiatement un hôtel. C'est ce qu'on appelle souvent le tourisme d'aventure. Je n'ai jamais vraiment aimé les circuits organisés avec des guides agaçants vous disant constamment où vous devez regarder ou ne pas regarder, quand vous devez vous arrêter et même quand et où manger et faire vos besoins. Je préfère arriver à destination, me mêler aux locaux, aller boire un verre dans un café et demander conseil aux gens que je croise en chemin. Je trouve que c'est le meilleur moyen de découvrir des sites bien plus intéressants que ceux indiqués dans les guides. C'est précisément pour cela que nous avons fini par séjourner à l'Hôtel Castell, un magnifique bâtiment qui fut jadis le palais d'un des propriétaires terriens de la région. Nous fûmes accueillis à la réception, traversâmes une splendide cour intérieure, un superbe jardin tropical et fûmes enfin escortés jusqu'à notre chambre. Tout semblait bien se passer – la décoration était fantastique et notre lit extrêmement confortable. Nous étions si fatigués du voyage que quelques secondes plus tard, nous dormions bien que j'aie toujours dormi d'un œil depuis mes années dans l'armée. J'entendis soudain quelque chose dans le couloir. C'était une voix spectrale, comme venant de l'au-delà. La première fois que je l'entendis, je pensai que c'était mon imagination, mais elle se répéta. Puis ma femme fut réveillée par la voix.

- Tu as entendu ça ? On dirait que ça vient du couloir, dit-elle en se couvrant le visage avec la couverture.

- Qui peut bien marcher dans le couloir à cette heure ?

Il était deux heures du matin et jusque-là, je n'avais entendu aucun pas. J'eus la chair de poule en entendant la voix appeler quelqu'un. Je n'entendais toujours aucun pas. Puis elle s'arrêta près de notre porte et se mit à monter dans les aigus.

- Ça suffit, ce n'est pas l'heure de se promener en faisant un tel vacarme, dis-je assez énervé en ouvrant la porte, jetant un œil dans le couloir pour voir qui c'était.

L'obscurité formait des ombres grotesques de chaque côté du couloir mais je ne vis personne. Puis quelqu'un me parla tout près, je traversai le couloir d'un bond et allumai la lumière. Le corridor était éclairé et ce fut à ce moment que je réalisai vraiment qu'il n'y avait personne, et là j'eus peur. Pourrait-ce vraiment être un fantôme ? Qui aurait pu vivre auparavant dans cette grande maison ? Je laissai la lumière allumée et retournai me coucher.

- C'était quelqu'un de l'hôtel ?

- Oui, je pense que c'était un des garçons de l'hôtel qui devait être ivre, répondis-je à ma femme pour qu'elle puisse se rendormir tranquillement.

Le lendemain matin, pendant que Conchita lisait dans la chambre, j'allai voir le propriétaire de l'hôtel pour lui demander des explications sur l'incident. Il me dit qu'en effet, plusieurs employés prétendaient avoir vu des fantômes. Apparemment, de nombreuses années auparavant, un événement tragique avait coûté la vie à un jeune homme et depuis, il errerait dans les couloirs du manoir. Et c'était le meilleur hôtel en ville, sinon le seul ? Nous passerions encore une nuit puis nous partirions – je ne pense pas que le fantôme avait quelque chose contre nous.

La visite des anciennes pyramides me donna beaucoup matière à réflexion. Si notre civilisation devait s'éteindre, je ne pense pas qu'il resterait grand-chose à admirer. Ces pyramides de pierre massives avaient des milliers d'années et pourraient durer encore des milliers d'autres, cependant, je ne crois pas que nos constructions en ciment ou en brique laisseraient beaucoup d'indices pour les futurs archéologues. Tout cela me fit penser à quel point nous les êtres humains sommes éphémères, qu'une vie est très courte et qu'il est très facile que notre histoire soit oubliée avec le temps. Encore une fois, le sujet des esprits errants me revint à l'esprit quand nous sommes rentrés à l'hôtel. Nous avions beaucoup voyagé et étions épuisés, alors nous sommes allés directement au lit. Je m'endormis aussitôt, ma femme resta éveillée, lisant un livre qui parlait des vieux bâtiments que nous avions visités. Puis, la vive douleur causée par un coude enfoncé dans mes côtes me réveilla.

- Réveille-toi, réveille-toi, je crois qu'il y a quelqu'un à la porte !

Nous fîmes silence et soudain entendîmes à nouveau la voix. Cette fois, elle m'appelait clairement par mon nom. Le fantôme répéta mon nom encore et encore. Je n'ai jamais eu peur de quoi que ce soit en ce monde mais là, j'étais confronté à quelque chose qui n'était pas de ce monde. Je mis ma robe de chambre et me décidai à sortir dans le couloir. J'ouvris prudemment la porte et jetai un œil par l'entrebâillement. L'obscurité s'étirait dans le corridor. L'interrupteur était à environ deux mètres de l'autre côté. Je pris une inspiration et me précipitai pour essayer d'allumer la lumière le plus vite possible. En sortant de la chambre, j'entendis la voix prononcer mon nom, à quelques mètres dans le noir. Mes poils se hérissèrent comme des fils de fer et mon cœur battit la chamade. L'ampoule s'alluma mais loin d'être soulagé, l'effroi que je ressentais s'accentua en ne voyant personne dans le couloir. Je regardai attentivement des deux côtés mais ne trouvai rien. Puis, à nouveau cette voix sinistre. Cette fois, j'étais capable de la localiser. Elle venait définitivement de la cour intérieure. Eh bien, il était temps de faire face à ce fantôme. Comme on dit souvent, une fois qu'on affronte un fantôme et qu'on le connaît bien, il peut même devenir votre meilleur compagnon. J'entendis à nouveau le bruit et vis un énorme perroquet perché sur la branche d'un arbre. Je le fixai et il dit :

- Alfonso, Alfonso, Alfonso.

Ce minuscule animal à plumes était le fameux fantôme qui terrorisait tout l'hôtel.

Chapitre 16

Cela faisait de nombreuses années que j'avais été en service aux îles Canaries. Où pouvait bien se trouver mon vieux Tim maintenant ? Errerait-il encore sur les sept mers à bord de son bateau ? Non, sûrement pas. Il avait probablement pris sa retraite depuis et avait peut-être enfin trouvé le temps de le passer avec sa famille. Quoi qu'il en soit, je pensais toujours à Tim quand un ami ou un parent me demandait un cadeau. Après avoir tant voyagé à Cuba, j'avais de nombreuses connaissances là-bas et leurs proches me demandaient souvent de leur rapporter ceci ou cela. Je leur conseillais toujours d'envoyer des bas de soie. Non seulement c'était l'un des articles les plus précieux qu'on puisse offrir à une femme, mais en plus ils étaient très légers et pouvaient passer la douane sans éveiller de soupçons. Je me souviens d'une fois où Paul m'avait demandé des chaussures pour sa petite amie Alejandra. Paul était Cubain d'ascendance espagnole et sortait avec une grande mulâtresse svelte. Ils étaient d'excellents danseurs, ce qui n'a rien d'inhabituel dans une île où la majorité des jeunes sont capable de danser aussi bien que n'importe quel danseur professionnel ailleurs. Elle faisait du 37 et avec les talons, les chaussures prenaient pas mal de place. Les choses devenaient de plus en plus difficiles dans l'île et à ce stade, ils ne nous laissaient passer qu'avec nos bagages à main, qu'ils ouvraient de toute façon pour s'assurer qu'on ne transportait pas de contrebande. Je devais trouver un endroit où les chaussures n'attireraient pas l'attention, alors j'ai pensé qu'il valait mieux les mettre bien en vue des officiers. Je passai juste devant le douanier qui resta parfaitement impassible. Je pliai le bras à angle droit et portai les chaussures dans ma main, recouvertes de mon chapeau, en essayant de traverser l'aéroport avec le plus de prestance possible.

Je rencontrai Pablito par hasard. J'avais pris un taxi de l'aéroport jusqu'à l'hôtel et il était le chauffeur. La voiture, une superbe Cadillac cerise, avait appartenu à son père. Comme la plupart des insulaires,

Pablo (ou Pablito affectueusement) était très ouvert et bavard à condition de ne pas mentionner de sujets politiques. Dans ce cas, il restait silencieux et se mettait à scander des slogans communistes. Il était difficile de voir les gens qui se cachaient derrière cette façade. Je dis à Pablito que c'était ma première visite à La Havane et que le lendemain, j'aimerais visiter ses sites, alors bien sûr, il proposa ses services de guide. Comme la plupart des Cubains à l'époque, il était effrontément opportuniste – ce n'était pas de la cupidité, juste un pur instinct de survie. Tout était rationné à Cuba et malheureusement, que ce soit sous un système communiste ou capitaliste, les parts sont toujours plus grandes pour ceux proches du pouvoir. C'est vrai dans le monde entier, ce sont ceux qui distribuent qui s'octroient la part du lion. Pour ne rien arranger, toutes les entreprises étaient contrôlées par le gouvernement. Les commerçants ou travailleurs comme Pablito qui fournissaient des services aux touristes étaient étroitement surveillés. De nombreux vendeurs de cigares ou guides touristiques occasionnels avaient fini en prison, car selon le parti, c'étaient des pratiques capitalistes.

À neuf heures, après un bon petit-déjeuner à la cafétéria, Pablito vint me chercher à la porte et nous débutâmes notre tournée. Progressivement, les murs de contreforts qu'il avait érigés commencèrent à s'écrouler et on put entrevoir la personne qui se cachait derrière. À dix heures, la chaleur devenait très oppressante. Je dus passer la journée à boire pour éviter la déshydratation. Les lieux comme les gens de La Havane étaient très pittoresques. Nous entrâmes dans une rue étroite où les bâtiments semblaient délabrés avec leur peinture qui s'écaillait.

- Y a-t-il quelque chose d'intéressant à voir dans le coin ?

- Désolé compadre, ce ne sera qu'un instant, je dois emmener ma vieille dame à un contrôle médical. Ce ne sera qu'un instant.

Il gara la Cadillac devant un immeuble de deux étages peint en rose. Dans la rue, un groupe d'enfants jouait au base-ball avec une batte et une balle de fortune. C'était incroyable. Sûrement que la chose la plus étrange dans cette ville, c'est que la vie fourmillait partout mais on m'avait dit que la nuit était encore plus spectaculaire, bien que je sois maintenant trop vieux pour sortir en boîte. Les plus jeunes membres de mon équipage ne partageaient certainement pas mon avis et c'est pourquoi je devais toujours visiter les sites touristiques seul – eux pratiquaient un autre type de tourisme, allant de club en club toute la nuit et dormant le jour.

- Ma mère descend maintenant, dit Pablito.

- Ah, vous devez être le fameux pilote ! Mon fils m'a tellement parlé de vous. Votre travail est très important. Le peuple cubain vous sera toujours reconnaissant, pensa-t-elle sans doute que j'étais une célébrité. C'est normal, la tête commence à dérailler quand on vieillit mais je n'avais vraiment aucune idée de quoi parlait cette dame.

C'était une petite vieille maigre avec des cheveux blancs et frisés. Elle avait dû mettre Pablo au monde à un âge déjà avancé car elle paraissait avoir plus de quatre-vingts ans. Le temps avait ridé son visage, décoloré ses cheveux et courbé son dos mais on voyait encore qu'elle avait dû être une belle femme.

Pablito la raccompagna de l'autre côté de la voiture et lui ouvrit la portière passager mais elle attrapa la poignée de la porte arrière, l'ouvrit et s'assit à côté de moi.

- Je veux vous parler... c'est un endroit sûr. À Cuba, même les noix de coco ont des oreilles. Vous devez être très courageux pour faire votre travail.

- Ce n'est pas si terrible, l'aviation a beaucoup progressé et il y a très peu de risques maintenant.

- Vous êtes trop modeste, vous savez que je ne parle pas des avions.

- Mamita, combien de fois devrais-je vous dire de ne pas importuner nos invités ?

- Peu importe, en fait je pense que ce voyage sera plus amusant que je l'imaginais.

La femme n'arrêtait pas de parler pendant tout le trajet, elle semblait avoir complètement perdu la tête. Elle me raconta l'histoire de sa famille, en intercalant de temps en temps une blague critiquant les militaires et la dictature qui régnait sur l'île. J'imagine qu'à un certain âge, on vous donne une licence pour dire tout ce que vous pensez. Apparemment, la femme croyait que son fils était un membre important de la résistance, un leader des dissidents, qu'il était en contact avec le gouvernement américain pour essayer de contrecarrer les plans de Castro. Après avoir essayé de naviguer dans des endroits presque inaccessibles, après avoir essayé de négocier les foules qui se déplaçaient à pied ou à vélo, nous nous sommes arrêtés à nouveau. Pablito est sorti et a ramassé une enveloppe, l'a mise dans la boîte à gants et a recommencé à conduire. Quelques pâtés de maisons plus loin, nous nous sommes arrêtés à nouveau.

- Mais je ne vois aucun hôpital ici.

- Excusez-moi compadre, ça ne nous prendra qu'un instant.

Une fille à la peau cannelle et aux yeux de miel accourut vers le véhicule et introduisit la moitié de son corps par la fenêtre pour étreindre la femme âgée.

- Ma belle fille. Comment va ma petite-fille ?

La fille, qui avait environ six ou sept ans, étreignit sa grand-mère, lui montrant un large sourire. Il était clair que nous rendions visite à leur famille. J'imagine que Pablito n'avait pas d'argent pour mettre de l'essence dans la Cadillac et, profitant que j'avais payé pour remplir le réservoir, il en profitait pour faire quelques courses.

- Venez, descendez du véhicule, je vais vous présenter ma petite-fille.

Je ne sais pas, ai-je pensé, pourquoi voudrais-je rencontrer une petite fille ? Mais je ne voulais pas être impoli et j'ai joué le jeu. Une jeune femme descendit les escaliers menant au portail.

- Voici María, la mère de ma petite-fille Lucía, elle a aussi fait des livraisons, vous pouvez donc lui faire confiance.

C'était très déroutant. La mère de Lucia était un peu plus âgée que Pablo, pourtant il était son oncle. Le désordre familial était presque aussi important que l'embrouillamini mental de Mme Manuela.

Pablo parla quelques instants seul à seul avec María et lui remit l'enveloppe qu'il avait récupérée quelques minutes plus tôt. La vérité, c'est que tout commençait à m'intriguer, il était clair que quelque chose se tramait ici. Bien que la famille pense probablement qu'elle me dérangeait, c'était en fait le genre de tourisme que j'aimais faire. Tous les endroits se ressemblent plus ou moins - importe-t-il que des palmiers poussent dans un endroit et des pins dans un autre ? Des plages ? De l'eau et du sable, la mer est toujours la mer. Ce qui est vraiment important et que les agences de voyage ne peuvent pas vendre, ce sont les gens, les histoires humaines qui se déroulent d'un bout à l'autre de la planète. Assurément, j'apprenais plus sur Cuba que de nombreux historiens qui ne font que visiter des sites archéologiques pour prendre des photos de ruines. Et Mme Manuela était vraiment adorable, elle me racontait toutes les expériences de sa vie comme si j'étais l'un de ses petits-enfants.

- Monsieur Nuñez, je suis vraiment désolé pour le retard. Dans un petit moment, nous laisserons ma mère chez le médecin et poursuivrons notre chemin.

Avant que je puisse ouvrir la bouche ou même hocher la tête, la femme se lança à nouveau.

- Mais comment ne pas inviter le commandant à prendre un café ? Ma petite-fille prépare le meilleur café du monde. Vous ai-je dit que mes parents possédaient autrefois une boutique où nous faisions nous-mêmes le torréfaction et le broyage du café ? Les différentes variétés en vrac étaient à la disposition des clients pour que chacun puisse choisir celui qu'il aimait. Puis, il était torréfié et en quelques minutes le client pouvait emporter son café fraîchement moulu à la maison. Je me souviens encore de l'odeur intense. Mais ensuite, les problèmes ont commencé, vous savez... ces idées idiotes selon lesquelles tout appartient au gouvernement et voyez-vous, ils ont repris le magasin.

- Pablo m'a dit que vous aviez des grands-parents espagnols.

- Oui, vous savez, au début du siècle et même beaucoup plus tard, de nombreux Espagnols ont été contraints d'émigrer. Mon père était originaire de La Corogne, ma mère des îles Canaries, et par un de ces tours du destin, ils se sont rencontrés ici. Ils ont travaillé dur toute leur vie et ont réussi à atteindre une bonne position financière - ne vous méprenez pas, ils n'étaient pas nobles mais en travaillant dur dans le magasin, ils vivaient confortablement. Mais vous connaissez la fin de l'histoire.

- Eh bien, buvons ce délicieux café pendant que vous continuez à nous raconter ce qui s'est passé.

C'était un de ces moments où j'aurais vraiment aimé être beaucoup plus doué pour les arts de l'écriture, car il aurait été merveilleux de mettre par écrit toutes ces histoires. Mais que faire ! Les sciences avaient toujours été mon point fort.

Nous avons gravi l'escalier étroit en bois qui semblait se plaindre à chacun de nos pas. J'ai aidé Mme Manuela à monter, la tenant par le bras. L'embrasure de la porte présentait la même négligence que la plupart des façades des bâtiments ailleurs dans la ville, la peinture s'écaillait et s'empilait sur le sol. C'était comme si tout le monde avait oublié de peindre, comme si les bâtiments étaient abandonnés. Une fois à l'intérieur du petit appartement, tout changeait, ici les murs avaient des couleurs pastel douces et de jolis rideaux ornaient les fenêtres. Le sol était fait de longues bandes de vieux bois usé mais bien ciré néanmoins. Nous sommes allés directement à la cuisine. En entrant, nous avons été enveloppés par l'odeur intense de café frais. Nous nous sommes assis autour d'une petite table en bois et avons versé le café pendant que la grand-mère de Maria continuait à raconter l'histoire de ses parents. Beaucoup payaient leur voyage en travaillant sur le navire et sont arrivés sur l'île sans le sou. Mais ils étaient jeunes et avides de travailler et la plupart d'entre eux ont immédiatement commencé à prospérer dans leur nouvel environnement. À cette époque, il y avait un sentiment répandu de solidarité avec les nouveaux arrivants - ce n'était pas de la charité, ils ne donnaient rien, ils essayaient simplement de les accueillir et de leur trouver un nouvel emploi.

On dit que le meilleur café vient de Colombie et j'ai oublié de demander d'où venait celui-ci parce que c'était le café le plus délicieux que j'aie jamais goûté de toute ma vie. Pendant que nous parlions, Pablito semblait agité, arpentant la pièce de long en large, jetant de temps en temps un coup d'œil par la fenêtre, se cachant derrière les rideaux. María semblait également nerveuse, mais elle le cachait mieux.

- Il est parti ! Dépêchons-nous, nous devons partir maintenant ! - aboya Pablito en regardant la rue.

Il était clair qu'ils savaient tous quelque chose que j'ignorais. Nous nous sommes levés et avons quitté la maison. Dès que nous sommes montés dans le véhicule, le chauffeur a accéléré brutalement et a conduit à toute vitesse dans la rue. Après avoir tourné dans des ruelles étroites, il semblait enfin que le calme était revenu et Mme Manuela, qui s'était tue jusqu'à présent, a repris le récit de ses histoires.

Nous sommes finalement arrivés à la clinique. Nous avons accompagné la vieille dame dans la salle d'attente où elle a retrouvé des amis. Ils sont tous convenus de rentrer ensemble en guagua. J'ai fait mes adieux à Mme Manuela, comme on le ferait à quelqu'un qu'on ne reverra jamais, mais elle a répondu avec désinvolture, comme si elle savait que nos chemins se croiseraient à nouveau bientôt.

- Eh bien Pablito, je pense qu'il est temps de commencer cette visite guidée de l'île.

- Oui, monsieur.

La vieille Havane était comme un musée vivant. C'était l'une des villes coloniales les mieux préservées que j'aie jamais vues. Nous sommes passés devant la Plaza de Armas et avons visité le château du

Morro, où un magnifique phare accueillait les navires entrant dans le port.

Nous étions près de la maison de Mme Manuela, située sur la Calle Teniente Rey à quelques mètres seulement du couvent Saint-François d'Assise, un endroit pittoresque et agréable où le temps semblait s'être arrêté dans les années 1930 et 1940.

- Vous voyez là, cet endroit fermé à planches était le magasin de mon grand-père d'où ils vendaient du café à toute Cuba. La seule chose qui me restait en héritage, c'est la voiture.

Pablito, comme prévu, s'est révélé être un guide fabuleux. Il connaissait chaque rue, chaque bâtiment et les histoires qui s'étaient déroulées dans chacun de ces endroits. Nous nous sommes arrêtés pour nous rafraîchir à la Plaza de la Revolución, entre Vedado et Malecón. Bien que je m'acclimatais lentement à la chaleur, je devais constamment m'hydrater. Il n'est pas étonnant que les gens d'ici se déplacent tôt le matin ou au crépuscule. Puis Pablo m'a emmené manger une glace chez Coppelia dans la 23e rue. L'odeur de cannelle, de caramel, de chocolat et de vanille flottait intensément dans l'air, faisant saliver. Nous avons dégusté une de ces douceurs rafraîchissantes entièrement faites à la main avec des ingrédients naturels. À ce stade de la journée, j'ai vraiment commencé à apprécier le climat agréable. Tout en savourant ma glace, Pablo m'a raconté une de ses histoires. Il n'y a pas si longtemps, il y a deux ou trois ans, en passant par cet endroit même, il a heurté un monsieur aux cheveux blancs. Il a accidentellement éclaboussé la glace sur lui et taché sa chemise blanche immaculée. L'homme, loin de se mettre en colère, s'est excusé pour l'incident et l'a invité à une autre glace. Il était américain mais son visage était très familier. Le glacier a fait des gestes, essayant de lui dire quelque chose. Ils ont un peu parlé en anglais et un peu en castillan de choses sans importance - climat, économie, etc.

- Mais tu ne sais pas à qui tu parlais ? - a demandé le glacier, surpris.

- Eh bien, à vrai dire, il me semblait familier, est-il de la famille de Roberto ?

- Mon gars, c'était Ernest Hemingway.

Je l'ai regardé, sans vraiment croire à ses paroles, comme s'il venait d'inventer cette histoire. Mais Patricio, le propriétaire de la crèmerie nous a regardés et a dit :

- Parbleu tu es bête, Pablito. Imaginer confondre Hemingway avec un des cousins de Roberto !

Après avoir passé un très bon moment et nous être rafraîchis un peu, nous avons poursuivi notre promenade. Pablo m'a parlé d'une boîte de nuit, où les gens dansent jusqu'à l'aube. Je lui ai dit que je n'aimais pas trop sortir la nuit car je suis un animal diurne. Mais il a insisté : il dansait dans cet endroit depuis presque son enfance et avait grandi au rythme de la musique locale. De plus, sa petite amie était aussi une fabuleuse danseuse. Le couple avait remporté de nombreuses compétitions - merengue, salsa ; ils excellaient en tout. Partout ailleurs dans le monde, ils auraient pu gagner leur vie grâce à la danse mais ici, ce n'était considéré que comme un simple divertissement.

- Ouais, il vaut peut-être mieux que tu ne quittes pas l'hôtel ce soir, j'ai entendu dire qu'une tempête se préparait.

- Pablo, tu dois me dire ce qui se passe dans l'île. Je ne comprends rien à tout ce mystère.

À vrai dire, je commençais à me lasser de toutes ces intrigues mais mon ami gardait le silence, il ne voulait pas dire un mot. Eh bien, c'était peut-être le charme de Cuba, ai-je pensé.

Soudain, alors que nous marchions dans une rue, un homme s'approcha de la voiture, ouvrit la portière passager et sauta à l'intérieur.

- L'accélérateur ! Appuyez sur l'accélérateur ! Nous ne sommes pas en sécurité ici ! - dit l'homme dégingandé, sa peau sombre luisant de sueur.

Ma première pensée fut que c'était un voleur, sûrement un criminel pourchassé par la police. Mais je réalisai vite que c'était un ami de Pablo.

Je ne comprenais pas ce qui se passait et bien sûr, ils n'allaient pas me donner d'explication.

- Nous devons récupérer ces photos le plus vite possible, dit-il à Pablo.

- Ne dis rien ici, on ne sait rien sur lui.

- Pas de problème, c'est une personne de confiance, il sera notre coursier.

Le coursier ? Quel coursier ? Ils parlaient de moi. Que complotaient-ils ?

- Ça suffit ! Dites-moi une bonne fois pour toutes ce qui se passe !

Il n'eut d'autre choix que de parler. Honnêtement, je compris alors pourquoi ils voulaient me tenir à l'écart.

Ces derniers mois, il y avait eu beaucoup de mouvements militaires sur l'île. Cela pouvait sembler normal mais pas dans ce cas, puisque la majorité de ces soldats maintenant à Cuba étaient russes. Et que faisaient les Russes à Cuba ? On ne savait pas encore, mais une chose était sûre - ils n'étaient pas venus siroter quelques mojitos. Quelque chose de gros se tramait. Ils avaient nettoyé et élargi certaines des routes menant à la forêt. Plusieurs navires battant pavillon français étaient en fait des navires militaires russes. Il était clair que la cargaison était top secrète car les Soviétiques ne travaillaient que la nuit et aucun d'entre eux ne quittait ses navires. Pablito avait des informateurs partout sur l'île et les nouvelles étaient inquiétantes. Jusqu'à présent, ils avaient déployé des radars et des missiles antiaériens. Tout était fait dans le plus grand secret. Dans mon ignorance, je demandai à quoi ils avaient besoin de moi mais je n'obtins aucune réponse.

Ils discutèrent longuement et finalement les deux hommes se calmèrent. L'ami de Pablo, un homme aux traits africains, grand et mince avec des cheveux crépus finit par retrouver son sang-froid et sortit de la poche droite de son pantalon bleu marine un mouchoir blanc froissé et légèrement assombri. Il s'épongea le front, serra la main de Pablito pour lui dire au revoir et me salua de façon informelle en levant nonchalamment le bras. Il partit par un sentier juste à l'extérieur de la ville. Nous remontâmes dans la voiture et cette fois nous nous dirigeâmes vers l'hôtel. Pablo s'arrêta devant la porte et avant que je puisse saisir mon portefeuille, il dit en souriant :

- Laisse, laisse, compadre, comment vais-je te faire payer alors que nous avons passé la journée en famille ? Je te reverrai bientôt.

Quand même, je sortis quelques billets de mon portefeuille et les lui donnai. Ce n'était qu'une petite somme, je n'allais rien en faire mais j'étais sûr que ça l'aiderait beaucoup. Il les accepta volontiers et avant de partir je dis :

- Demain tôt je pars pour l'Espagne. Mais dans trois ou quatre jours je serai de retour ici. J'ai maintenant cette route attribuée et j'aurai le temps d'en apprendre plus sur ce pays.

- Oui, je sais que tu reviendras bientôt. N'oublie pas que j'ai mes contacts - et sur ces mots il me dit au revoir, me laissant à nouveau intrigué.

Ça avait été une longue journée bien remplie, si bien que je ne me sentais pas du tout touriste. C'est choquant de voir comment les situations et événements que nous vivons influencent nos vies. On peut être assis à côté d'une personne au bureau pendant des années sans vraiment la connaître, cependant dans des circonstances complètement différentes, en seulement quelques jours, peut-être quelques heures, une solide amitié se forge, un lien, comme si nous étions de la même famille.

Chapitre 17

De nos jours, nous appelons ça le décalage horaire mais en fait ce n'est rien de plus qu'une maudite altération de nos rythmes circadiens résultant d'un voyage transméridien rapide sur de longues distances à bord d'avions de ligne à grande vitesse. Nous menons même des études à ce sujet - Comment cela affecte-t-il les pilotes et les passagers ? Comment atténuer ses effets ? - nous nous interrogeons. Et pourtant, personne n'en parle vraiment, personne n'ose mentionner à quel point il est incroyablement difficile de vivre perdu dans le temps, comme si c'était toujours le jour, comme si un jour c'est l'hiver et le lendemain l'été. Nous pensons toujours au temps de notre propre point de vue - je l'ai appelé la façon égoïste. C'est vrai parce que par exemple, quand c'est l'hiver en Espagne, la plupart des Espagnols pensent que c'est l'hiver dans le monde entier. C'est pourquoi ils ne conçoivent pas de maillots de bain pendant cette période de l'année alors que dans l'autre hémisphère les gens profitent de l'été et ont bien besoin de maillots de bain. Mais nous sommes encore plus égocentriques en ce qui concerne le temps. Par exemple, quand il est minuit chez moi, ma famille dort à la maison à Madrid, je me retrouve à marcher dans les rues de La Havane sous son soleil de midi brûlant. Mon travail a totalement changé ma perspective de l'espace et du temps. La météo est devenue quelque chose de sauvage, d'incontrôlable, et la planète une toute petite tache dans un vaste univers. Parfois, quand je conduis ma voiture à Madrid, j'ai l'impression que si je tourne au coin de la Gran Vía, je vais soudainement me retrouver dans la 23ème rue et un peu plus tard sur la Plaza de la Revolución. Si je voyage au nord de Madrid vers sa région montagneuse, j'ai l'impression que je suis au Canada et si je vais au sud, on dirait que j'étais sur le point de traverser la frontière pour le Mexique, l'Argentine ou Panama. Tout le monde devrait avoir la chance de voyager, car cela nous aide inévitablement à développer une conscience globale, un sentiment de faire partie intégrante de chacun des endroits que nous visitons dans notre âme.

Le Jumbo scintillait avec les lumières ambrées du soleil naissant. J'effectuai une inspection visuelle de ce géant métallique puis montai dans le cockpit. C'était le plus gros avion commercial jamais construit, aussi fiable et sûr qu'une Rolls Royce. Ce matin-là, nous avions un nouveau membre d'équipage bien que cela soit assez fréquent. Je rencontrai le jeune homme dans le couloir, un garçon un peu dégingandé avec une barbe légèrement rousse. Son visage m'était familier, je pensais le connaître mais c'était impossible - c'était un très vieux souvenir et il était très jeune.

- Bonjour, comment vont les choses par ici ?

- Oui, ça va monsieur.

- Que dis-tu mon garçon ? Tu penses être dans l'armée ?

- Pardonnez-moi, pardonnez-moi.

- Mais ne sais-tu pas qui je suis ? Va demander au reste de l'équipage.

- Oui, je sais qui vous êtes : M. Nuñez.

- Eh bien, tu devrais savoir que je n'aime pas qu'on s'adresse à moi comme si on était dans l'armée. Comment t'appelles-tu ?

- J'ai le même nom que mon père, Elías.

Bien sûr, il était le portrait craché de son père, le même air qui m'avait frappé la première fois que je l'avais vu dans le vieux train qui nous amenait à l'académie militaire.

- Mon Dieu, le fils de Pilar et Elías. Comment vont tes parents ? Quelle coïncidence. Je parie que quand il s'agit de voler tu dois tenir de ta mère.

- Oui, comme vous le savez, mon père ne monterait pas dans un avion même s'il était saoul.

Les tours et détours de la vie sont vraiment étonnants. Ma femme ne voudra pas le croire !

L'énorme avion était bondé de gens de toutes sortes. Là-bas, ça peut devenir un peu chaotique. Heureusement, j'avais un super équipage et je n'avais pas à m'inquiéter de ce qui se passait dans cette zone de l'avion. Dans la plupart des vols, des enfants avaient le mal de l'air ou vous aviez l'habituel malin qui essayait d'être trop amical avec les hôtesses, surtout après quelques verres, ou parfois, il y avait aussi des cas exceptionnels - comme la femme qui avait fait une crise d'appendicite. Heureusement, nous étions proches de l'atterrissage et nous avons pu lui donner des antidouleurs et appeler la tour de contrôle pour qu'une ambulance soit là. Mais c'était un vol tranquille, sans incidents ni problèmes - nous sommes partis à l'heure et avons atterri à La Havane comme prévu.

Les choses étaient devenues vraiment difficiles à Cuba. Je blaguais en disant que mon avion était le seul autorisé à atterrir à La Havane, et ce n'était pas loin de la vérité. À cette époque, les douaniers étaient plus stricts que jamais. Le garde - un petit bonhomme aux yeux rusés -, ne laissait rien passer et il n'était pas du genre à ne fouiller que pour garder les souvenirs des touristes. C'était un des pires, un de ceux qui suivaient les règles du parti à la lettre. On nous a tous dépouillés de nos cadeaux et même de certains effets personnels que la police tenace considérait comme illégaux. Je suis allé à l'hôtel et ai retrouvé l'équipage pour discuter un moment autour de quelques whiskeys dans la chambre. Nous sommes convenus de mettre chacun vingt dollars et d'aller boire un verre. J'ai mis mes vingt dollars et vingt de plus pour le jeune.

- Le nouveau est invité, nous devons sortir fêter son arrivée dans la compagnie !

- Eh bien, allons boire un verre à La Bodeguita del Medio. Nous pourrons aussi y dîner.

- Parfait, nous pourrons savourer leurs fameux mojitos puis écouter un peu de musique live.

Maintenant, je vous ai déjà dit que je n'aimais pas particulièrement la vie nocturne, je préférais faire du tourisme le jour mais il y avait toujours des occasions spéciales comme celle-ci. Pour dire vrai, il y avait toujours quelque chose à fêter et à se réunir. L'équipage était comme une seconde famille pour moi. Cette fois, nous voulions accueillir Elías et j'étais partant. Nous sommes allés à La Habana Vieja - après avoir arpenté ces rues tant de fois avec Pablito, je les connaissais plutôt bien.

Nous sommes arrivés sur une place où des musiciens jouaient de leurs instruments à cordes, guitare, basse et un plus petit instrument appelé tres (ou trois) par les locaux. Bien sûr, leurs traditionnelles "maracas" ne pouvaient pas manquer. Il était tout à fait normal de trouver un ou plusieurs musiciens jouant et chantant dans n'importe quelle vieille rue. Les gens dansaient spontanément sur les rythmes. En Espagne, j'étais considéré comme un bon danseur mais comparé à ces insulaires, j'étais un simple amateur. En plus, ces rythmes salsa me donnaient l'impression d'être un poisson hors de l'eau. Je trouvais que le mieux pour moi était de savourer un mojito, ou un bon rhum tout en me délectant des performances impromptues. Elías était comme son père, sauf pour sa peur de l'avion. Il avait hérité une grande partie de sa personnalité et presque cent pour cent son apparence. Il abandonna son verre à moitié et partit danser avec les jeunes filles sur la piste. C'est incroyable comme les choses changent ! Après toutes les difficultés que son père et moi avions endurées ! À l'époque, si vous alliez faire la fête dans une ville qui n'était pas la vôtre, vous pouviez vous estimer très chanceux si vous regardiez l'une des jeunes filles et ne finissiez pas tabassé par les locaux. C'étaient des temps différents, des temps très durs et pourtant nous arrivions encore à nous amuser, bien que bien souvent s'amuser signifiait trouver des moyens astucieux de remplir le ventre, que ce soit attraper des poissons dans le ruisseau ou faire griller des guimauves avec des amis autour d'un feu de camp.

Nous avons parcouru la ville allant de fête en fête. Il était tard et je me sentais fatigué. J'ai troqué mon whisky contre un café glacé et l'arôme me rappela Mme Manuela et la boutique de ses parents. Une jeune femme grande et mince à la silhouette plantureuse, à la peau cannelle et aux yeux bruns s'approcha de moi. Elle me prit par le bras et m'entraîna sur la piste de danse.

- Allez Nuñez, montrez-nous comment faire ! - entendis-je Gonzalo, le copilote, dire.

La situation semblait surréaliste. Que pouvait bien vouloir de moi cette jeune et belle femme ? Serait-elle une chercheuse d'or ? Les mouvements exotiques de la fille firent que tout le monde arrêta ce qu'il faisait pour nous regarder danser. C'était tout un spectacle de la voir se trémousser ainsi. J'essayais de suivre le rythme de la musique sans avoir l'air trop ridicule. Lentement, elle m'entraîna de l'autre côté de la piste de danse improvisée et se rapprocha encore plus. Une chose était de danser quelques pas au son de l'orchestre et une autre était qu'elle se tortille indécemment sur moi comme ça. Ma tête me disait de m'éloigner mais mon corps n'obéissait pas. On n'est pas de pierre, il valait mieux que je retourne auprès de mes amis et que je laisse ce genre d'aventures aux jeunes. Au moment où je me rétractais, essayant de mettre de la distance entre nous, elle colla son corps au mien, m'attrapa par le cou et posa doucement son menton sur mon épaule en disant :

- Nous avons des problèmes, l'opération est en danger...

- Que voulez-vous dire ?

- Regardez juste là, derrière cette voiture. Je suis la petite amie de Pablo. Il veut que vous le retrouviez sans attirer l'attention.

Je fus soulagé et à présent je jouais son jeu. Nous nous éloignâmes de la foule et nous perdîmes dans l'obscurité de la nuit. Rapidement, nous marchâmes vers une ruelle. Là je vis Pablo et l'homme que nous avions rencontré plus tôt de façon inattendue.

- Hé compadre, content de vous revoir. Comment s'est passé le voyage ? La famille va bien ? Désolé, je ne vous ai pas présenté l'autre jour - voici Benigno, un ami de confiance de la famille.

Je remarquai que l'homme avait un œil au beurre noir mais je ne posai pas de question, je supposai juste qu'il avait dû se bagarrer.

- Eh bien, vous avez déjà rencontré ma partenaire de danse. C'est la meilleure danseuse de toute l'île, c'est dommage qu'elle n'ait pas de bonnes chaussures.

Je n'avais pas remarqué jusque-là mais il avait raison – ses chaussures étaient effectivement très vieilles et tombaient en lambeaux. Ils déviaient du sujet principal. Pourquoi se cachaient-ils de la foule ? Si je ne connaissais pas si bien Pablo, j'aurais pensé qu'ils venaient juste de braquer une banque ! Mais j'étais sûr que c'étaient des gens honnêtes. Il était clair que c'était motivé politiquement et que c'est pourquoi ils étaient si prudents avec la douane. Le gouvernement de Castro essayait de cacher quelque chose, et ça devait être énorme. J'avais réfléchi à leur histoire des bateaux russes mais je ne comprenais pas vraiment de quoi il s'agissait. Le fait que les Soviétiques déchargent du matériel militaire sur l'île n'était pas top secret, à moins bien sûr que ce soit quelque chose de trop important qu'ils essaient de cacher à l'opinion publique. C'était précisément à cette époque que la Guerre Froide semblait s'apaiser, le président américain et le dirigeant soviétique négociant actuellement toute une série de traités sur les armements.

- L'autre soir, nous nous sommes introduits dans la zone militaire et avons réussi à jeter un œil à la cargaison transportée par les camions. Au retour, les gardes ont attrapé Benigno. Heureusement, après un bref interrogatoire, il a réussi à les convaincre qu'il ne savait rien et qu'il ne faisait que passer en rentrant chez lui.

J'en déduisis que la couleur violette de son œil était due à cet incident. Tandis que Pablito me racontait ce qu'ils avaient découvert, Benigno montait la garde au coin de la rue quelques mètres plus loin. Les deux étaient plutôt tendus et nerveux et je commençais à me sentir exactement de la même façon.

- Mais vous allez me dire oui ou non ?! Qu'avez-vous vu ?

- Des missiles.

- Et alors ?

- Des missiles à longue portée avec des ogives nucléaires, prêts à être lancés sur les États-Unis.

Là, je sentis mon estomac se contracter. Les Russes envisageraient-ils d'attaquer les États-Unis ? Peut-être que toutes les négociations et traités n'étaient rien de plus qu'un écran de fumée pour distraire le monde pendant qu'ils prenaient position. Mais c'était de la folie ! C'était comme Pearl Harbor tous bis ! Le début d'une nouvelle guerre mondiale pourrait être imminent.

- Avez-vous des preuves de cela ?

- Non, nous n'avons que les plans d'emplacement des missiles.

- Nous devons obtenir des preuves, personne ne nous écoutera si nous n'avons aucune preuve. J'ai un appareil photo à l'hôtel, vous devez prendre des photos et on avisera ensuite quoi en faire.

- Je ne pense pas qu'on puisse retourner là-bas. Hier soir, nous avons eu beaucoup de chance car Benigno pourrait déjà être six pieds sous terre.

Pour éviter d'être arrêtée, il valait mieux qu'Alejandra, la petite amie de Pablo, passe sur le site - ainsi personne ne se douterait de rien.

- Je ferais mieux de retourner auprès de mon équipage. Demain à neuf heures, passez à l'hôtel, je suis dans la chambre 108.

Je rejoignis les autres et les observai communiquer par signaux. Puis Gonzalo laissa échapper quelque chose :

- Quelle femme spectaculaire, et sa façon de bouger ! Tu nous l'as cachée tout ce temps...

- Ne sois pas idiot, je n'ai rien à voir avec cette femme, je viens juste de la rencontrer ici.

Gonzalo se tut et tenta de se retenir. Remarquant que ses commentaires m'avaient offensé, il préféra ne pas insister sur le sujet.

- Mais qu'est-il arrivé à Elías ? Vous l'avez saoulé les gars - dis-je sur le ton de la plaisanterie, voyant le jeune homme essayer de suivre le rythme de la musique tout en arrivant à peine à tenir sur ses jambes.

Il valait mieux rentrer. Nous avions toute la journée pour nous reposer mais il fallait s'assurer d'être en pleine forme pour le vol retour. Elías fredonnait quelque chose et soudain, il tomba sur les fesses.

- Je le tiens par un bras et toi par l'autre - un, deux, trois, hop !

Le garçon continua à fredonner tandis que Gonzalo et moi le portâmes jusqu'à l'hôtel. Nous l'avons monté dans sa chambre et l'avons laissé allongé sur le lit. J'avais mal au dos comme si j'avais accouché et ma tête me faisait l'effet qu'elle allait exploser. J'ai pris un aspirine et je me suis couché. Quelque chose me réveilla brusquement. J'ouvris un œil et j'entendis à nouveau frapper à la porte. Qui cela pouvait-il être à cette heure ? Bon sang, j'avais complètement oublié mon rendez-vous avec Alejandra. J'ouvris la porte et deux hommes en uniforme entrèrent soudainement dans la chambre.

- Un instant, où pensez-vous aller comme ça ?

- Désolés de débarquer ainsi mais nous exécutons des ordres.

Mon mauvais caractère les fit réfléchir et ralentir.

- Voyez-vous, on nous a informés que vous traitiez avec des gens contre la révolution.

- Je n'ai aucune idée de qui vous êtes, de quoi diable vous parlez ou d'où vous auriez eu cette information. Savez-vous à qui vous avez affaire ?

Heureusement, ma stratégie fonctionna. Je ne sais pas qui a dit que la meilleure défense est une bonne attaque mais ils avaient absolument raison.

- Ne vous énervez pas, nous essayons juste de faire notre travail, la dernière chose que nous voulons c'est provoquer un incident diplomatique.

- Eh bien, allez faire votre boulot ailleurs, ou mieux, pourquoi ne vous consacrez-vous pas à quelque chose de plus utile et arrêtez d'embêter les gens ?

- Nous sommes vraiment désolés. Un informateur nous a dit qu'hier soir, il vous avait vu dans une ruelle sombre, traitant secrètement avec certaines personnes.

Et juste à ce moment, alors que je les avais persuadés de partir, on frappa à la porte. Nous avions été pris la main dans le sac. S'ils m'attrapent avec Alejandra, alors ils tireraient certainement le fil et trouveraient Pablo et Benigno. Je serais expulsé mais eux iraient directement en prison et qui sait, fusillés pour espionnage.

J'ouvris la porte tranquillement, comme si de rien n'était, et vis la fille qui, en voyant les policiers dans ma chambre, fit le geste de s'enfuir. Elle portait une robe en tissu fin moulant sa plantureuse silhouette et assez courte pour dévoiler ses longues jambes. Je l'attrapai d'une main par le poignet et mis l'autre autour de sa taille. Je l'embrassai sur les lèvres en essayant de rendre cela le plus passionné possible. Elle fut choquée mais retint son souffle. Je me sentis vingt ans plus jeune et en voyant comment ses tétons pointaient soudainement sous sa robe, je compris que je ne m'en étais pas trop mal sorti. J'étais peut-être un peu rouillé, mais je savais encore embrasser une femme.

- Entre ma chérie, je t'attendais.

Les deux hommes se regardèrent en souriant. Plus tard, le chef me regarda et me fit un clin d'œil.

- Nous sommes vraiment désolés M. Nuñez, ce n'était qu'un malentendu, maintenant je comprends pourquoi vous étiez dans une ruelle sombre hier soir...

Ils quittèrent la pièce aussi vite qu'ils le purent et l'un d'eux resta à la porte pour s'excuser.

- Vos hommes aiment les cigares ?

- Eh bien, j'en ai déjà fumé mais seulement lors d'occasions spéciales.

- Ne vous inquiétez pas, je veillerai à ce que vous soyez bien servi pendant que je suis à Cuba.

Je leur claquai la porte au nez et me retournai immédiatement pour regarder Alejandra. Elle chancelait, accablée par la peur. Je lui tendis un verre d'eau qu'elle avala d'une traite.

- Donnez-moi l'appareil photo, je veux partir d'ici le plus vite possible.

- Écoutez, ces deux-là ne sont pas idiots. Je parie qu'ils attendent en bas. Il vaut mieux que vous vous reposiez un moment pour leur faire croire qu'on passe un bon moment, si vous voyez ce que je veux dire...

J'appelai le room service et commandai un petit déjeuner spécial pour deux. Je mangeai tranquillement, tandis qu'elle m'en disait plus sur Pablo et les dissidents. Au bout d'un moment, je lui expliquai comment utiliser l'appareil photo.

- Dites à Pablito d'être très prudent. Je reviendrai dans quelques jours ; à mon retour, j'irai le voir.

Je continuais de regarder par la fenêtre pour m'assurer qu'ils ne la retiennent pas. Après quelques minutes, je la vis traverser la rue et s'éloigner de l'hôtel.

Chapitre 18

J'ai décidé de prendre le bus - je me suis dit qu'en me mêlant aux locaux je passerais inaperçu. Le bus était bondé et malgré les fenêtres ouvertes, l'odeur de transpiration était assez forte. Je suis descendu à quelques pâtés de maisons de la maison et j'ai fait le reste du trajet comme dans un labyrinthe - une technique que j'avais lue quelque part dans un roman policier pour semer d'éventuels poursuivants. Une fois certain que personne ne me suivait, je suis entré dans la cour et suis monté au premier étage. J'ai cogné à la vieille porte en bois vert carrosse et j'ai attendu. Personne n'a répondu alors après quelques secondes j'ai insisté à nouveau. Mais rien. Je me suis retourné et suis reparti vers la grille d'entrée mais j'ai alors entendu un faible bruit. De la fenêtre, Mme Manuela m'a fait signe de remonter. J'ai regardé des deux côtés de la rue et voyant que personne ne regardait, je suis entré dans l'immeuble. La femme, qui il y a quelques semaines encore semblait forte, en bonne santé et pleine de vitalité, était à présent faible et faisait la moue, les cheveux en bataille et négligés.

- Entrez, asseyez-vous, ces maudits fascistes qui s'appellent révolutionnaires, si le Commandant pouvait voir ce qui se passe. Si Ernesto voyait ce qu'ils font au pays... - et elle continua à marmonner et à maugréer.

- J'ai besoin de parler à Pablo, c'est urgent, vous savez...

- Oh mon petit Pablito ! Ces maudits lâches l'ont fait prisonnier, ils l'ont arrêté et vont bientôt l'abattre.

- Calmez-vous Manuela, j'ai besoin de savoir où je peux trouver Benigno. Vous allez voir comment régler l'affaire.

Elle me dit de le demander à La Bodeguita del Medio, le serveur me montrerait où le trouver. Je pris congé de Mme Manuela et pour m'assurer qu'elle se calmerait, je lui promis que je ferais sortir son fils de prison. Je n'en étais pas du tout sûr, je ne savais même pas quoi faire. Peut-être devrais-je en parler à l'ambassade ? Je ne sais pas, il est possible qu'ils aient aussi des gens travaillant pour le gouvernement de Fidel. D'abord, je dois parler à Benigno, oui, c'est certain. Je suis sorti et j'ai appelé un taxi. L'endroit où je me rendais était fréquenté par les touristes et il n'était donc pas nécessaire d'y aller en bus, il était normal que des touristes y savourent quelques mojitos ou de la cuisine créole. Comme prévu, l'endroit était bondé à cette heure-là. Je suis allé au bar et j'ai demandé une bière au barman. Quand il l'a apportée, j'ai dit :

- J'ai besoin de parler à Benigno.

L'homme s'est retourné et a continué à servir d'autres clients comme s'il ne m'avait pas entendu.

Il a servi plusieurs verres et préparé plusieurs cocktails, m'ignorant complètement, puis est revenu vers moi.

- Qui le cherche ?

- Je suis Nuñez, l'ami de Pablito.

Encore une fois il a poursuivi ses tâches, a versé plusieurs alcools dans un shaker, les a bien secoués au rythme du mambo, a transvasé le contenu dans un verre, ajouté un parapluie en papier et l'a servi. Il a posé le verre sur un sous-bock en carton.

- On m'a dit que tu passerais peut-être. Voilà l'adresse - a-t-il dit en désignant le dessous du verre.

J'ai pris le morceau de carton et l'ai discrètement glissé dans ma poche, j'ai savouré le délicieux cocktail en pensant à ce qui avait pu arriver à Pablo. Bien sûr, s'il avait été pris avec l'appareil photo on ne l'aurait pas jeté en prison, les militaires l'auraient abattu sur place.

Je l'ai trouvé dans une masure en périphérie de la ville. J'ai dû marcher plusieurs heures le long de sentiers sinueux pour y arriver.

- Benigno ! C'est moi, l'ami de Pablito. Tu te souviens de moi ? - j'ai crié de l'extérieur. J'ai attendu qu'il sorte de sa cachette.

- Va-t-en dè hic, je nev veut pas te voir - il était saoul comme un cochon. Sa langue s'emmêlait et le hoquet l'empêchait de dire plus de deux mots à la suite.

- Ne t'inquiète pas, essaie de te calmer, va te passer un peu d'eau sur le visage, je vais attendre. L'alcool te fait perdre confiance. Il faut que tu te calmes et que tu réfléchisses à comment résoudre la situation.

Heureusement, l'homme m'écouta, ce qui n'arrive généralement pas quand on ordonne à un ivrogne de faire quelque chose. Il jeta la bouteille de rhum et sortit. Puis il s'assit au bord de la route à l'ombre d'un arbre et resta là sans dire un mot, tandis que la brise douce lui caressait le visage. Il est resté ainsi environ une heure. J'ai patiemment attendu, observant le type de végétation qui poussait autour de la masure. Cela me rappelait ces longues journées passées dans la tranchée quand j'étais radiogonomètre. Soudain, comme possédé par le diable, il se leva, descendit la colline en ligne droite, courut vers un petit ruisseau et plongea dedans. L'eau faisait seulement quelques centimètres de profondeur. Puis, il revint et finit par me parler :

- Tu as raison, il faut qu'on le sorte de là, il aurait fait la même chose pour moi.

- Bien sûr, on va le sortir de là. Tu vas voir ! Raconte-moi ce qui s'est passé ?

- Mardi soir, après minuit, on a pris la route récemment construite par les militaires, qui s'enfonce dans le chemin de la jungle. Tu vois celle que je veux dire. On est arrivés à l'endroit où se trouvent les lanceurs. Ils sont recouverts de filets verts pour se fondre dans les environs et empêcher les avions espions U2 qui survolent fréquemment l'île de les repérer. La zone était pleine de soldats et bien qu'ils étaient censés monter la garde, ils étaient assis en cercle à jouer aux cartes à la lueur des bougies. Ça nous a permis de nous approcher, jusqu'à un point surélevé d'où on pouvait voir très clairement les missiles. Maintenant, il ne nous restait plus qu'à attendre l'aube dans l'obscurité pour pouvoir prendre des photos. On s'est allongés dans les mauvaises herbes pour attendre. Au début, les nerfs et la peur d'être découverts m'ont tenu éveillé mais ensuite la fatigue a pris le dessus et je me suis finalement endormi comme une masse. Inutile ! J'ai été réveillé par des voix. J'ai trouvé l'appareil photo hors de son étui en cuir à côté de moi. Le compteur indiquait que dix-huit clichés avaient été pris. J'ai cherché Pablo désespérément. J'ai regardé partout mais je n'ai rien trouvé, aucune trace de Pablito. Salauds ! Encore une fois, j'ai entendu des voix et j'ai vu les soldats se précipiter dans la route. J'ai compris qu'ils cherchaient Pablo. Je ne pouvais pas rester là plus longtemps sinon ils m'auraient démoli comme une dinde. J'ai passé l'appareil photo autour de mon cou et me suis enfui de là en traversant la végétation dense du mieux que je pouvais. Voilà, je ne sais rien de plus.

- Eh bien, nous savons tous les deux que Pablo n'est pas idiot, sûrement qu'en voyant que les soldats étaient sur le point de vous coincer, il s'est précipité dans la pente pour attirer leur attention.

- Salauds ! Idiots !

- Du calme. La première chose que je vais faire c'est vérifier auprès de l'ambassade s'ils peuvent le localiser.

Ce n'est que quelques jours plus tard que j'ai reçu les informations. Quand j'ai eu l'appel, j'ai immédiatement pensé au pire mais après avoir entendu ce qu'ils avaient à dire, j'ai failli sauter de joie. Pablito avait réussi à s'échapper des mains des militaires. Il semble qu'ils l'avaient arrêté dans une ferme et accusé d'y être allé pour voler sans aucune preuve qu'un crime avait été commis. Donc, il était simplement dans les cellules du poste de police, avec d'autres criminels ordinaires. Maintenant, j'avais juste besoin d'un peu de chance et de beaucoup de dollars. Si je parlais à la bonne personne, il suffirait d'un simple pot-de-vin et Pablito serait libre. Mais avant même que je puisse commencer à célébrer la nouvelle en prenant un whisky dans ma chambre, le téléphone sonna à nouveau. C'était Benigno - il avait l'air très nerveux, je devais faire sortir Pablo immédiatement car les Services Secrets le recherchaient. Les militaires avaient signalé l'incident et retournaient ciel et terre pour le trouver. Heureusement, s'agissant d'une affaire top secrète, la police n'était pas au courant.

Un homme très costaud, à l'air patibulaire et au visage marqué de cicatrices, était assis tranquillement dans son fauteuil en tirant sur son cigare.

- Que puis-je faire pour vous ? - dit-il en faisant attention à tapoter les cendres de son cigare dans un cendrier en forme de coquille.

- Eh bien, voyez-vous, un ami à moi a été arrêté par erreur.

- Nous ne commettons pas d'erreur ici - répliqua-t-il d'une voix calme, presque endormie, en arquant ses épais sourcils.

C'était le moment de prendre un risque. Je devais évaluer quel genre de flic c'était. Certains disent que tout le monde a un prix, et c'est encore plus vrai dans les endroits où la pauvreté abonde mais il est également vrai que certaines personnes ne se vendraient pas pour tout l'or du monde. Cela ne signifie pas que ces derniers sont des êtres humains plus décents - ce sont généralement des fanatiques endurcis qui suivent aveuglément les ordres de leurs supérieurs, que ce soit de nourrir ou de tuer tout le monde.

- Voyez-vous, il se trouve que j'ai trouvé cent dollars américains devant la porte du poste, quelqu'un a dû les perdre.

Le commissaire devint soudain plus attentif, comme s'il venait de sortir d'une transe.

- Je ne vais pas vous dire que nous sommes parfaits, tout le monde peut faire des erreurs. Comment s'appelle votre ami ?

- Pablo García.

- Maintenant, maintenant je me souviens, le gars qui a été attrapé derrière la clôture d'une ferme. Mais je ne me rappelle pas où j'ai laissé ses papiers...

Je posai un autre billet de cent dollars sur la table et ses yeux brillèrent.

- Juste un instant, oui, les voilà, je confonds parfois. Peut-être que ce rapport va se perdre, vous voyez ce que je veux dire, mais ça vous coûtera deux cents de plus.

Toujours un plaisir de traiter avec des gens cupides - on ne peut pas faire confiance à ceux qui ne sont pas motivés par l'argent. Être philanthrope, c'est bien pour les millionnaires désœuvrés mais pour le commun des mortels, la seule chose qui les fait se lever chaque matin pour aller travailler, c'est leur salaire mensuel.

L'assistant descendit au cachot, appela Pablo et le laissa sortir.

Chapitre 19

Le plan était le suivant. Une fois atterris à La Havane, tout l'équipage devait passer la douane et loger à l'hôtel. Pablo devait rester caché jusqu'à ce que je lui apporte l'uniforme d'Elías. Étant donné que la réceptionniste de l'hôtel ne prêtait jamais vraiment attention à tous les pilotes qui allaient et venaient sans cesse, Pablo entrerait à l'hôtel et irait directement dans la chambre 108, la mienne. Ensuite, il n'aurait plus qu'à attendre que ce soit notre tour d'aller à l'aéroport ensemble. Elías avait déjà réservé une autre chambre, se faisant passer pour un touriste. Il devrait rester quelques jours maximum à Cuba pour attendre notre retour, de préférence sans trop sortir de l'hôtel. Pablo embarquerait avec nous comme s'il faisait partie de l'équipage. Pour quitter le pays, il n'y a pas tant de contrôle, surtout pour nous les pilotes. Il est facile de mettre ses photos et documents dans sa mallette sans problème.

Sur le papier, tous les plans semblent parfaits mais quand vient le moment de vérité, toutes sortes d'imprévus commencent à surgir. J'ai croisé le lieutenant Rodriguez et son assistant dans le hall. Il tenait un chapeau blanc dans une main et une petite boîte en bois dans l'autre.

- M. Nuñez, permettez-moi, avant que vous ne partiez, acceptez ces cigarettes. Elles sont faites à la main par ma propre sœur et sont de très bonne qualité, je suis sûr qu'elles vous plairont.

Je l'ai remercié pour le cadeau, bien que je suspectais que ce n'était qu'une ruse pour obtenir plus d'informations de ma part. Il était neuf heures et Pablo allait apparaître d'une minute à l'autre, ce qu'il fit. Il ne connaissait aucun des hommes à qui je parlais. Tout en continuant à discuter du savoir-faire supérieur des cigares de sa sœur, je les ai occupés le dos tourné vers l'escalier et j'ai discrètement fait signe à Pablito d'aller aux toilettes. À ce moment précis, un jeep militaire s'est arrêté devant l'hôtel. Quatre soldats en sont sortis et ont traversé la porte pivotante.

Il était clair qu'ils devaient tout savoir - ils avaient sûrement parlé au commissaire de police.

- Que diriez-vous d'un café ?

- C'est pour moi.

Nous sommes entrés dans le café tandis que les militaires montaient en courant les escaliers, fouillant chaque chambre d'hôtel à notre recherche.

- Trois cafés au lait - ai-je demandé au serveur puis je me suis excusé :

- Veuillez m'excuser un instant messieurs, - et je me suis précipité aux toilettes.

Pablo y était, s'épongeant le front en sueur avec un mouchoir. Il était très nerveux et c'était bien normal. Nous étions dans de beaux draps.

- Sors d'ici tout de suite et saute dans le premier taxi que tu vois, on se retrouve à l'aéroport. Marche la tête haute, avec arrogance et souviens-toi que tu fais partie de l'équipage.

Je suis rapidement retourné au bar du café et j'ai regardé ma montre. J'ai pris ma tasse de café encore fumante par l'anse et l'ai bue d'une traite. Maudit liquide, il brûlait comme de la lave.

- Ça a été un plaisir de discuter avec vous mais mon avion est sur le point de décoller et je ne dois pas être en retard.

J'ai laissé le lieutenant en plan et me suis enfui en vitesse. Le vacarme provoqué par les militaires avait atteint le hall de la réception, mais heureusement aucun d'eux ne se doutait de quoi que ce soit. J'ai rapidement parcouru les quelques mètres qui me séparaient de la porte de sortie du café, m'attendant à être interpellé à tout moment. Si je m'arrêtais maintenant, l'avion ne décollerait pas et Pablito resterait coincé à l'aéroport. Mais lorsque j'ai posé les mains sur la porte pivotante, j'ai arrêté de retenir mon souffle, pensant être tiré d'affaire.

- Attendez ! Nuñez ! Attendez un instant ! - a claqué Rodriguez.

Mon cœur a cessé de battre une seconde puis s'est emballé brusquement. Mes jambes ont flanché et une goutte de sueur a coulé sur mon front. C'était clair, j'étais pris. Bon, autant ne rien faire de stupide. Je n'étais pas le héros d'un blockbuster hollywoodien. Si j'essayais de fuir, il n'était pas improbable qu'une balle me traverse le dos. Je me suis retourné lentement et me suis retenu de lever les mains en l'air.

- Vos cigares, n'oubliez pas vos cigares ! - les nerfs m'avaient fait oublier la boîte à cigares qu'ils venaient de me donner.

Enfin, je me suis retrouvé dans la rue. Tout en marchant vers le coin de la rue pour prendre un taxi, les militaires ont quitté l'hôtel.

- Hé, hé ! - ont-ils crié. Cette fois j'ai couru pour ma vie.

J'ai tourné au coin de la rue et suis tombé sur une énorme foule se dirigeant vers la Plaza de la Revolución. Le parti avait organisé un rassemblement. Je me suis faufilé dans cette marée humaine, me fondant parmi eux et criant même ¡Viva la Revolución! et ¡Viva Fidel! Les soldats désorientés essayaient de me repérer dans toute cette cohue mais n'arrivaient pas à m'identifier. J'avais un bon avantage sur eux et peu importe la vitesse à laquelle ils allaient, ils n'arrivaient tout simplement pas à me saisir à cause de l'attroupement et des nombreux bras et bannières dans cette rue. Soudain, je suis tombé sur un cordon de police. Les soldats approchaient rapidement donc j'ai dû me baisser sous le ruban et courir précipitamment dans la rue. Tout en regardant derrière moi pour localiser mes poursuivants, je me suis cogné comme un bélier contre quelqu'un. C'était Raúl Castro, qui défilait avec son frère Fidel au milieu de la rue, saluant la foule. C'est la fin, ils vont m'exécuter pour ça...

- Quelle est cette insolence ? Quelle est la raison de cette attaque ? - m'a vertement réprimandé Raúl, remettant en place son uniforme militaire, désormais chiffonné après la rencontre fortuite.

- J'ai l'honneur d'apporter au Commandant les meilleurs cigares cubains. Ils sont faits à la main par la sœur d'un bon ami.

Fidel a éclaté de rire. Il se retenait de rire depuis le moment où je suis rentré dans son frère.

Il a pris un des cigares dans la boîte, l'a reniflé et a dit en souriant :

- Ils ont l'air bon, camarade, je vous remercie.

Je brûlais de m'en aller mais Fidel a tendu la main, m'a saisi fermement le bras et m'a donné une accolade. J'ai marmonné tout bas, presque inaudible :

- ¡Viva la revolución!

- ¡Viva la revolución! a hurlé Fidel, et tout le monde a crié : ¡Viva!

Il n'y avait pas de meilleur moment pour disparaître dans la foule. Alors j'ai fait un pas en arrière, je me suis retourné et alors, encore...

- Attendez un instant, camarade. Vous pouvez en avoir un des miens - le Commandant Castro a sorti un de ses cigares de la poche de sa veste.

Cette fois, après l'avoir remercié, j'ai enfin pu quitter cet endroit maudit.

Je pense que je n'avais jamais été aussi content d'être dans un aéroport. L'équipage, avec Pablito, m'attendaient tous à la porte d'embarquement. À l'époque, monter dans un avion n'était pas aussi compliqué qu'aujourd'hui, et quand on travaillait pour la compagnie aérienne c'était comme prendre le bus.

- Pablo, prends la mallette, il vaut mieux que je la passe - j'ai ouvert et vu que tous les documents, matériaux et photos étaient à l'intérieur.

- Non, compadre, je dois le faire. Assez d'ennuis t'ai-je déjà causés. Qu'est-ce que tu fais ?

- Arrête de jacasser et accélère le rythme, tu auras tout le temps de me remercier quand on sera dans l'avion.

Au milieu du hall il y avait un contrôle. Il était trop tard pour faire demi-tour. Si nous nous comportions de manière suspecte, nous serions sûrement pris. En approchant, j'ai vu le lieutenant Rodriguez et son assistant.

- Y a-t-il un problème, agent ?

- Nous nous rencontrons à nouveau ! Non, ce n'est qu'une inspection de routine. Ils ont fouillé Pablo et l'ont fait vider ses poches.

- Nous nous excusons pour la gêne occasionnée mais nous devons ouvrir la mallette.

Encore une fois, j'ai essayé de détourner l'attention vers un autre sujet :

- Je vais finir par croire que vous avez quelque chose contre les pilotes. Avez-vous eu un problème avec notre compagnie ? Vous ne cessez de nous traquer comme si nous étions des terroristes - mais pendant que mes paroles les ennuyaient et leur rappelaient d'être prudents pour ne pas créer d'incident, ils ont poursuivi la fouille.

Ils ont ouvert la mallette. Pablo est devenu livide, sa peau a rapidement perdu toutes ses couleurs. J'ai remarqué qu'il vacillait alors je l'ai saisi par le bras pour l'empêcher de tomber.

- Ces jeunes ne savent pas boire - c'est tout ce à quoi j'ai pu penser. Et ça a marché.

Je savais qu'ils ne trouveraient rien car quand Pablito m'avait tendu la mallette pour que je vérifie que tout était en ordre, j'en avais retiré une partie du contenu que j'avais glissée sous mon bras à travers ma veste. Mais maintenant c'était moi qui étais dans le collimateur. L'adjoint s'approcha de moi avec l'intention d'entamer une fouille. Je regardai Rodriguez avec incrédulité, secouant la tête de droite à gauche.

- Assez Fernando, combien de fois voulez-vous fouiller M. Nuñez ? Encore une fois, Dame Chance était de notre côté.

- Excellent, les cigares de votre sœur, en voici un offert par Fidel lui-même.

- Vous êtes un farceur. Merci pour le cigare, et revenez quand vous voulez.

Chapitre 20

Fermín a appris ce qui s'était passé à Cuba et a pensé qu'il valait mieux que Conchita soit également au courant. Habituellement, je confie tout à ma femme mais dans ce cas, j'ai pensé qu'il valait mieux la tenir à l'écart. Moins elle en savait, mieux c'était. Il valait mieux lui épargner toutes les inquiétudes et les dangers potentiels.

Je vais maintenant relater les événements tels que me les a racontés Mme Concha, l'épouse de Nuñez :

Mon mari se comportait bizarrement ces derniers temps - il ne parlait pas de ses voyages à l'étranger et ce qui était encore plus inhabituel, il quittait la maison sans dire où il allait au beau milieu de la nuit. À plusieurs reprises, je l'ai surpris parlant secrètement au téléphone. Il était clair que quelque chose d'inhabituel se tramait. Ce n'est que lorsque Fermín, un de ses collègues, nous a rendu visite que j'ai découvert de quoi il retournait. Il m'a dit qu'ils l'avaient vu danser avec une mulâtresse. Et ce n'est pas tout. Il est effectivement parti avec elle et quand ils l'ont interrogé sur cette fille, il est apparu très en colère et n'a pas du tout voulu parler de cette affaire. Au début, ils ont pensé que ce n'était rien de grave, mais le lendemain matin, quand Fermín est descendu prendre son petit déjeuner au café de l'hôtel, il a vu la fille quitter sa chambre. Il était clair alors qu'il avait une liaison avec une jeune Cubaine. J'étais très bouleversée et trahie, j'ai toujours eu totalement confiance en lui. Après quelques jours, j'ai pensé que ça devait être une aventure d'un soir, peut-être pour se sentir jeune à nouveau maintenant qu'il vieillissait. Si la fille était de l'autre côté du monde, il ne la reverrait probablement plus. J'ai essayé d'attendre le bon moment pour lui en parler mais il se comportait bizarrement, ne trouvait jamais le temps de rester à la maison et partait à des heures impossibles sans dire où il allait ni quand il rentrerait. J'ai appelé Fermín pour savoir s'il en savait plus et il m'a dit qu'il ferait de son mieux pour se renseigner. Le lendemain, il m'a appelée et m'a donné une adresse.

Hôtel Palace, chambre 1022.

- C'est tout ce que je sais - il vaudrait mieux que vous parliez à Nuñez personnellement. J'espère que vous pourrez résoudre cela.

Ma tension artérielle a grimpé en flèche. J'étais furieuse. Cette pouffiasse de deux balles allait voir qui j'étais. Je suis allée directement à l'hôtel avec la seule intention d'arracher les cheveux de cette briseuse de ménage. Comment avait-elle pu séduire un homme bien plus âgé et marié ? Lui aussi allait savoir de quel bois je me chauffais. Comment cela lui était-il même venu à l'esprit d'amener cette malheureuse ici à Madrid, rien de moins que le Palace Hotel !

- Bonjour, je voudrais savoir si M. Nuñez est là.

Le garçon à la réception a été intimidé et a rapidement consulté ses registres.

- Eh bien, je crois l'avoir vu sortir il y a quelques minutes.

- Très bien, ne dites surtout rien.

Je me suis assise sur l'une des chaises d'où je pouvais voir l'entrée et j'ai attendu qu'il arrive. Heureusement, il n'a pas tardé. Quand il est entré, j'ai rapidement attrapé un journal sur la table et je me suis cachée derrière pour qu'il ne me voie pas. Il a pris l'ascenseur, j'ai monté les escaliers. J'attendais ce moment depuis longtemps - le prendre la main dans le sac. Je suis arrivée devant la chambre 1022, j'ai respiré un grand coup, me suis redressée et ai frappé trois fois à la porte.

- Télégramme urgent pour M. Nuñez - ai-je dit en me pinçant le nez pour déformer ma voix.

La porte s'est immédiatement ouverte. C'était un homme.

- Mon Dieu, bon sang, c'est pire que je l'imaginais !

- Conchita ! Qu'est-ce que tu fais ici ?

- Oh, oh ! Je me sens mal ! Toutes ces années mariée à un inverti ! Je vais mourir !

- Arrête de dire des bêtises. C'est Pablo, un bon ami.

- Oui, oui, bon ami, c'est ce qu'ils disent tous... C'est exactement ce que Fermín m'a dit, que tu te comportais de manière très étrange. Maintenant, je comprends tout.

- Bon, arrête de raconter n'importe quoi.

Il m'a alors raconté toute l'histoire et après l'avoir entendue, j'ai été convaincue que je me trompais. Mais quand Pablito est venu me saluer, j'ai senti une certaine féminité en lui.

- Tu es venue au mauvais moment. Nous attendons des gens de l'ambassade américaine pour parler de Cuba avec Pablo. Tu sais que c'est une situation très compliquée et c'est pourquoi je voulais que tu restes en dehors de cela.

Et la suite de l'histoire, vous la connaissez déjà - les Américains ont envoyé quelques avions U2 aux coordonnées fournies par Pablito et ils ont pu prendre des photos des rampes de lancement de missiles. Puis ce fut le chaos mais ils ont fini par résoudre le problème. Ils ont commencé à négocier avec les dirigeants soviétiques et ainsi débutèrent les traités de désarmement nucléaire.

Chapitre 21

Depuis que j'ai rejoint Iberia, il était rare que je voyage autrement qu'en avion. Comme la plupart des employés de la compagnie, nous avions un compte voyageur fréquent. De plus, en tant que pilotes, nous pouvions voyager partout gratuitement car à l'époque nous embarquions en tant que membre d'équipage et nous asseyions dans la cabine. Ce n'était pas idéal pour nous les pilotes car la dernière chose que nous voulons en repos, c'est voler. Outre la voiture, je préférais me déplacer vers des endroits proches en train. J'appréciais particulièrement de prendre le train pour visiter mon village et me promener dans les ruines du monastère, me remémorant mon enfance et méditant. Pendant de nombreuses années, il avait été laissé à l'abandon mais heureusement, il est maintenant restauré et se dresse à nouveau fier comme avant.

En cette occasion particulière, je voyageais en train pour voir un parent. Nous devions régler une affaire de propriété et j'avais besoin de signer en tant que témoin. C'était une courte distance et ma voiture était au garage donc j'ai décidé de prendre le train. La gare conservait encore cet esprit grandiose d'autrefois et tandis que j'attendais sur le quai, je pouvais imaginer une vieille locomotive à vapeur sifflant en gare à tout moment. Ce jour-là, la gare était très animée - les gens allaient dans toutes les directions, certains arrivant, d'autres partant. Je marchais tout en essayant de lire le numéro de quai et l'heure de départ sur mon billet. Du coin de l'œil, j'ai remarqué un homme marchant vers moi. J'ai mieux regardé en essayant de ne pas attirer son attention et j'ai réalisé que c'était Ramirez. Cela faisait de nombreuses années que nous ne nous étions pas vus depuis la dernière fois dans le bureau du directeur de l'aviation. J'ai pensé qu'il ne m'avait peut-être même pas reconnu. J'ai continué à marcher dans la foule, je suis monté dans mon wagon et me suis assis du côté donnant sur l'autre voie. Les passagers sont montés à bord et se sont installés à leur place. J'ai commencé à lire tranquillement le journal. Quelqu'un s'est tenu debout à côté de moi, j'ai vérifié s'il avait assez de place pour s'asseoir et j'ai vu Ramirez me dévisager.

- Quelle coïncidence ! Comment va la vie ? - ai-je demandé, comme si je ne l'avais pas vu me suivre.

- À vrai dire, je ne peux pas me plaindre, j'ai beaucoup de temps libre et je vis très bien.

- Eh bien, tu ne peux pas savoir à quel point cela me fait plaisir !

- En fait, je te le dois en partie. Après l'incident en Galice, j'ai décidé que voler n'était finalement pas pour moi. Mon père avait insisté pour que je sois pilote. Toujours la même histoire... J'aurais préféré travailler ailleurs, mais il était inflexible...

- Je ne savais pas, j'ai toujours pensé que tu aimais l'aviation.

- L'aviation ? Pas du tout, je n'ai fait ça que pour faire plaisir à mon père. Mais sans toi, je suis certain que je pousserais des radis depuis longtemps. Je le dis sincèrement, depuis que j'ai quitté Iberia, les choses ont été difficiles. J'ai rejoint la Renfe grâce à une relation et depuis, je suis heureux comme tout.

L'annonce du départ du train retentit dans les haut-parleurs et Ramírez dit qu'il devait descendre. Nous nous sommes serré la main et il est sorti du wagon. C'était la dernière fois que je le voyais. Depuis la réunion avec le directeur de l'aviation, je m'étais toujours senti coupable de son licenciement mais comme le dit le vieil adage, le temps arrange les choses. Il est facile d'étiqueter les gens d'après ce qu'on voit en surface mais dans de nombreux cas, le combat est intérieur. Ramirez semblait être un fils à papa, ami avec des gens haut placés, mais il était en fait l'esclave de son propre jeu. Certes, il aurait pu intégrer l'armée de l'air, certes il aurait pu décrocher n'importe quel travail qu'il voulait, mais toujours en suivant les règles imposées par son père. Comme je l'ai dit avant, à la fin, la poussière retombe toujours.

Épilogue

Je suis une personne très nerveuse. La situation la plus simple peut se transformer en une série d'événements stressants qui m'énervent beaucoup. Cette fois, pourtant, c'était justifié. Je n'avais pas bien dormi et je me suis précipité à la gare. Deux semaines s'étaient écoulées depuis notre rencontre à León et pendant tout ce temps, j'avais pensé au roman. Que devais-je lui demander ? Comment allais-je enregistrer l'interview ? Je n'avais jamais fait ce genre de travail auparavant. Tout d'abord, j'ai préparé un questionnaire à suivre pendant l'entretien pour obtenir toutes les informations dont j'avais besoin pour écrire ce livre. Mais ce n'était pas facile du tout. Puis, comme toujours, dans la précipitation du moment, j'ai oublié d'imprimer les questions.

Cela faisait plusieurs années que je travaillais comme programmeur informatique et je suis quelqu'un de très désordonné donc ma chambre ressemble beaucoup à l'arrière-boutique d'un réparateur d'ordinateurs. J'ai plusieurs imprimantes, certaines très anciennes. J'ai vraiment bien profité de la dernière car elle est si vieille que l'ordinateur ne peut pas dire si les cartouches sont pleines ou vides - il ne sait même pas si elles sont neuves ou usagées. Donc, j'injecte l'encre à la seringue et les seuls coûts d'impression sont l'électricité et le papier. Récemment, j'ai eu envie d'expérimenter. J'avais un peu d'encre, alors j'ai pris une bouteille de cirage liquide, le genre avec un applicateur et une éponge abrasive, et j'y ai planté l'aiguille. J'ai rempli la seringue et injecté le produit dans la cartouche. Le résultat a très bien fonctionné. Le séchage des feuilles prenait plus de temps que d'habitude et le manuscrit qui en résultait sentait fort la crème à chaussures mais sinon, ça marchait parfaitement. Le problème est survenu plus tard, quelques jours plus tard, quand j'ai commencé à imprimer les questions pour l'interview de M. Nuñez. Il s'est avéré que l'encre avait séché à l'intérieur des cartouches, devenant totalement solide. Rien à faire, j'ai dû jeter les cartouches et en acheter des neuves, ou trouver des vides à recharger, cette fois avec de vraie encre. Cette imprimante était inutilisable maintenant. J'en avais aussi une HP simple et de assez bonne qualité, très abordable, mais les cartouches elles-mêmes coûtaient une fortune. C'était une imprimante intelligente - impossible de contrefaire les cartouches sans que la machine ne vous en veuille. C'était cinq heures dix et je devais retrouver Alfonso à dix heures pour qu'il m'emmène à l'interview avec son père. Bon, c'était urgent et je me fichais du prix de cette fichue encre. J'ai branché l'imprimante à la hâte, mais elle était désinstallée. J'ai senti mon estomac se nouer. Maintenant, je devais rapidement trouver le CD avec les pilotes et comme toujours, je n'avais aucune idée d'où il était dans ce bazar.

- Pas là, pas celui-ci non plus. Je l'ai trouvé, je l'ai trouvé !

Une fois le problème réglé, je suis parti de chez moi à toute vitesse. J'avais dix minutes de retard. Puis je me suis rendu compte que dans la précipitation, j'avais oublié d'uriner avant de partir et maintenant la vessie m'envoyait des signaux d'alarme. J'ai immédiatement commencé à avoir des étourdissements. Je me suis souvenu de toutes ces fois où j'avais fini dans les ennuis pour des raisons similaires. Alors je suis descendu du train pour répondre à l'appel de Mère Nature mais impossible de trouver ces maudites toilettes. Après avoir fait le tour de la gare, quand je les ai enfin trouvées, les portes étaient verrouillées. J'ai dû parler au chef de gare et le temps d'arriver aux toilettes, j'étais plus pâle qu'un albinos hypothermique.

Très souvent, je prends une tisane pour me détendre mais les effets secondaires du tilleul sont souvent pires. Je n'aime pas prendre de cachets mais j'en ai toujours quelques-uns dans mon portefeuille au cas où une urgence surviendrait. Bon, j'ai commencé par en avoir deux, puis j'ai ajouté un autre comprimé, puis de l'aspirine, puis un contre le mal des transports, un autre contre la diarrhée - en bref, j'ai la trousse de secours sur moi en permanence. On dit que mieux vaut prévenir que guérir mais dans mon cas, à chaque fois que la police m'a interrogé j'ai dû trouver toutes sortes d'excuses pour justifier ces drogues. Mais je m'égare. Je n'aime pas abuser des médicaments, alors j'attends toujours le dernier moment pour les prendre. Ce jour-là, je me sentais assez étourdi mais je n'ai rien pris. En arrivant à la gare, j'avais envie de vomir alors j'ai pensé qu'il était temps de prendre un tranquillisant ou j'allais m'écrouler par terre. Sauf que cela a engendré une série de problèmes : mes mains tremblaient tellement que j'arrivais presque pas à sortir les cachets de mon portefeuille. Les déballer était encore plus dur et j'ai dû m'y reprendre à plusieurs fois pour les mettre dans ma bouche. Maintenant, il me suffisait d'attendre une quinzaine ou une vingtaine de minutes pour commencer à me sentir mieux. Je suis arrivé en retard et un peu étourdi au parking où je devais retrouver Alfonso, mais je n'ai rien dit car je ne voulais effrayer personne.

Nous sommes montés en voiture et nous sommes allés à Barajas, où M. Nuñez avait une maison près de l'aéroport. Ils m'ont accueilli chaleureusement et m'ont montré tous ces artefacts du monde entier en me racontant l'histoire derrière chacun. C'était impressionnant - j'avais vraiment eu de la chance de le rencontrer. Puis il m'a montré des photos et j'ai été très surpris de le voir jeune homme en uniforme posant à côté de chaque appareil différent. On n'imaginerait jamais qu'un vieil homme comme lui avait pu ressembler à Sean Connery à son apogée quand il jouait James Bond. En fait, il était même difficile pour moi de l'imaginer ayant été jeune. Il a commencé à me raconter l'histoire de sa vie donc j'ai mis le téléphone en mode enregistrement, ce qui, heureusement, enregistrait en mp3. Mon ancien téléphone n'avait qu'une calculatrice. Malheureusement, après de nombreuses heures d'interview, la qualité sonore de l'enregistrement s'est avérée très médiocre. Heureusement, son fils Alfonso, qui est compositeur de musique électronique, a un studio d'enregistrement chez lui et a pu filtrer le bruit de fond pour obtenir une qualité acceptable que j'ai pu utiliser par la suite pour écrire ce roman.

Nuñez a toujours été un lecteur assidu et lors d'une des interviews, il m'a parlé de trois livres qui sont le fondement de sa pensée. Je voulais que ce livre raconte sa vie mais transmette aussi une partie de sa philosophie. L'univers est vaste et les êtres humains insignifiants ; essaie d'apprendre de ton entourage ; connais ton environnement et tu te connaîtras toi-même. C'est une approche simple : que peut-on faire contre la faim dans le monde ? Que pouvons-nous faire pour empêcher les guerres ? Simplement, s'entendre avec son prochain, l'aider s'il a besoin de quelque chose. Il m'a recommandé la lecture des Confessions de Saint Augustin, Pedro Saputo, et enfin Le Petit Prince de l'écrivain et aviateur français Antoine de Saint-Exupéry.

Remerciements

C'est le premier livre où j'inclue une section "Remerciements". Pour être honnête, il était temps, parce qu'ils s'accumulent ! Je n'aime pas recevoir de cadeaux, en fait, parfois ça m'agace vraiment. Je suppose que c'est pourquoi je trouve ce genre de choses difficiles. Mais de nos jours, tout le monde commence par ses remerciements et dédicaces. Le livre peut ne pas avoir d'index, ni même de prologue mais la dédicace ne manque jamais. Elles sont pour la plupart très mièvres : Merci à ma mère de m'avoir mis au monde, merci à mon père, ma femme, ma grand-mère et même mon chien...

Voulant épargner aux lecteurs d'avoir à lire ces phrases éculées encore une fois, j'ai laissé tomber les évidences et j'ai écrit les noms des personnes qui le méritent vraiment.

Tout d'abord, bien sûr, le narrateur de cette histoire et la personne qui a rendu ce roman possible : Alfonso Nuñez Balboa. Puis, son fils Alfonso García Nuñez, qui nous a présentés et a convaincu son père de me raconter sa vie. Nagore Martin qui m'aide toujours avec tous mes livres. Il est aussi temps de remercier le travail d'Armando Ramos, qui m'assiste toujours gratuitement pour la relecture, et enfin je ne peux oublier l'épouse de Nuñez, María Concepción García, une charmante dame qui m'a invité à manger chez eux à plusieurs reprises.

À tous, j'espère pouvoir vous rendre la pareille un jour.

Annexe visuelle

Bücker Bü 131 Jungmann

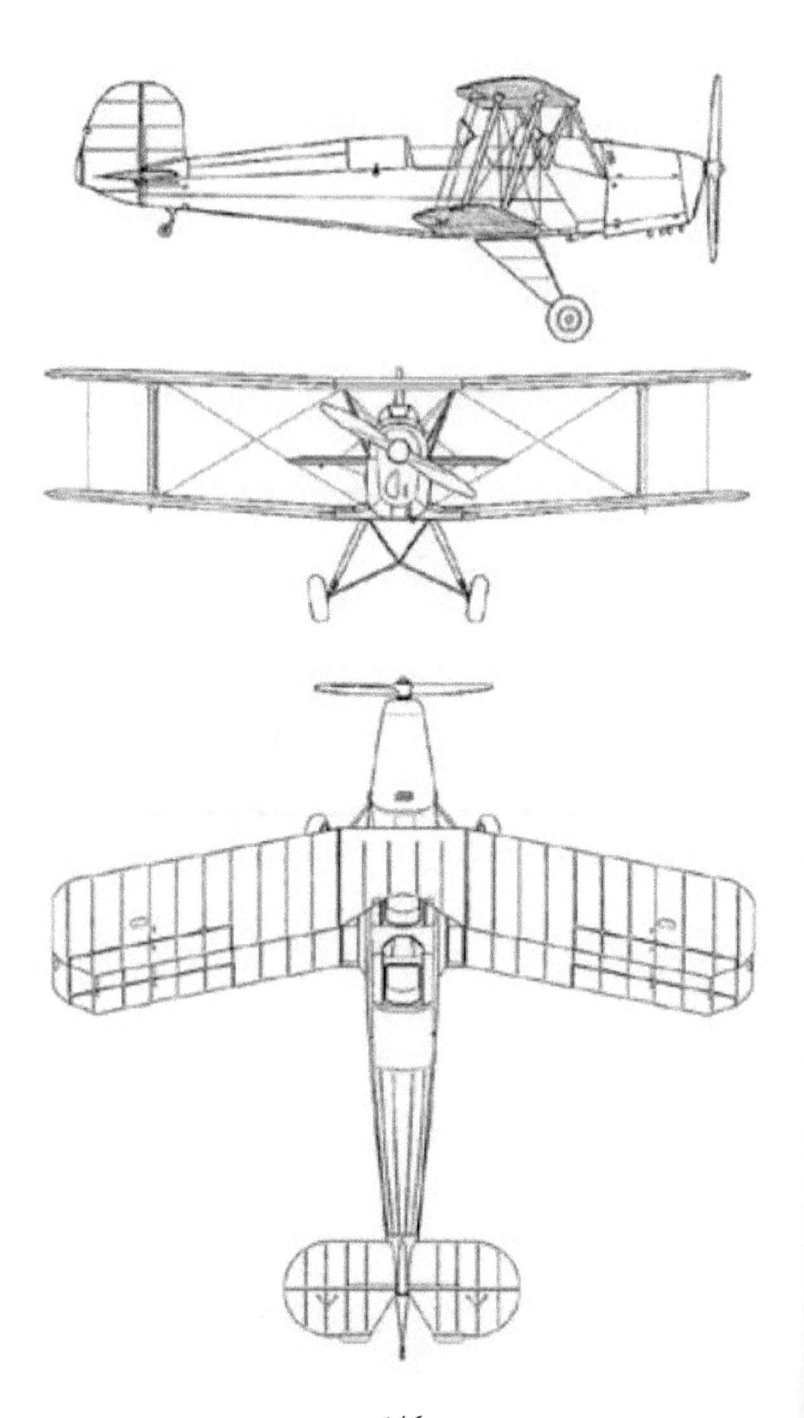

LE BÜCKER BÜ 131 JUNGMANN (traduit de l'allemand par « jeune homme ») était un avion d'entraînement de base fabriqué en Allemagne dans les années trente par Bücker Flugzeugbau. Il a été utilisé par la Luftwaffe pendant la Seconde Guerre mondiale.

Après avoir servi dans la Kaiserliche Marine pendant la Première Guerre mondiale, Carl Bücker s'installe en Suède où il devient directeur général de Svenska Aero AB (SAAB). Plus tard, il retourne en Allemagne avec Anders Anderson, un jeune designer de SAAB. "Bücker Flugzeugbau GmbH" a été fondée à Berlin en 1932 et le premier avion entré en production fut le Bü 131 Jungmann.

Historique opérationnel.

Robuste et agile, le Jungmann a été sélectionné comme Luftwaffe primaire de base à des fins de formation. Des licences de production ont été accordées à la Suisse, à l'Espagne, à la Hongrie, à la Tchécoslovaquie et au Japon, pays qui a construit plus de 1 200 machines pour les services aériens de son armée et de sa marine (connues respectivement sous le nom de Kokusai Ki-86 et Kyūshū K9W). En Espagne, la production s'est poursuivie chez CASA jusqu'au début des années soixante. Le Jungmann a conservé son rôle dans l'armée de l'air espagnole en tant que principal entraîneur de base jusqu'en 1968.

Environ 200 Jungmann survivent aujourd'hui, la plupart étant équipés de moteurs modernes et très puissants.

.

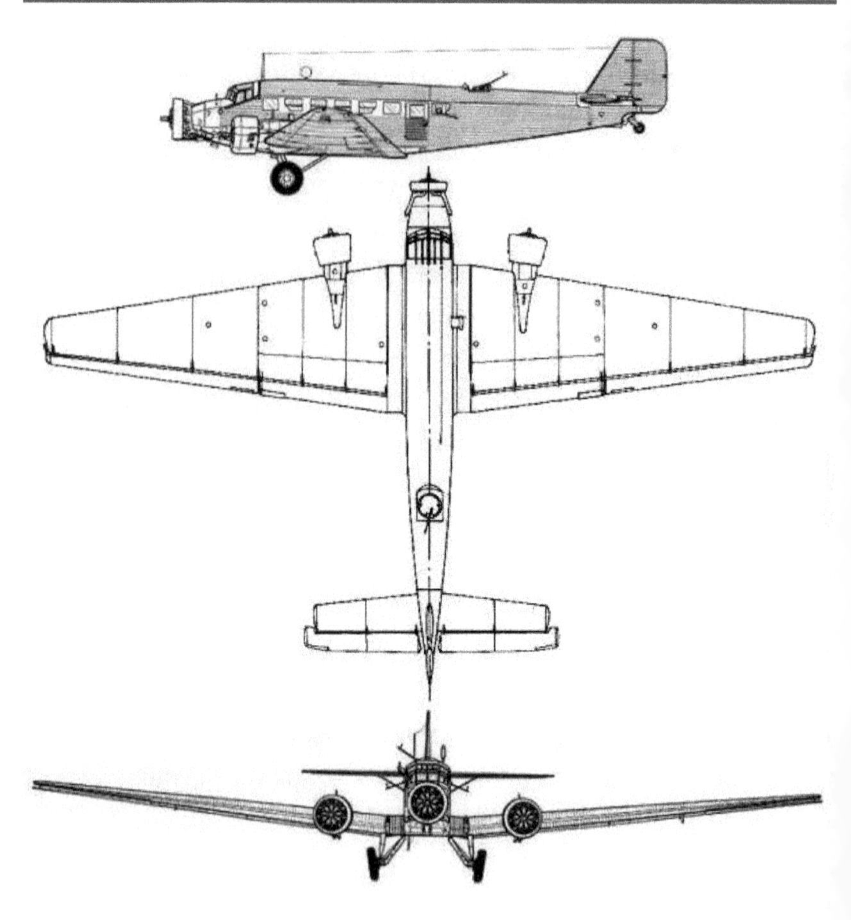

**LE JUNKERS JU 52 ÉTAIT un avion de transport allemand utilisé occasionnellement comme bombardier pendant la guerre civile espagnole. Descendant du Junkers F 13, c'est un monoplan à aile basse à train d'atterrissage fixe et à revêtement métallique. Malgré des caractéristiques archaïques comme le train d'atterrissage fixe mentionné, les lignes angulaires et le revêtement ondulé, le Ju 52 était non seulement présent dans toutes les opérations militaires allemandes pendant la Seconde Guerre mondiale, mais il a également participé à certaines des soi-disant «guerres d'après-guerre».

Histoire, conception et développement

Malgré les restrictions sévères sur les armements imposées à l'Allemagne par le traité de Versailles, plusieurs expériences secrètes et programmes de formation militaire à des personnels choisis dans des installations clandestines en dehors de l'Allemagne ont été menées depuis 1919, en particulier en URSS à la suite du Traité de Rapallo en 1922. Après que l'Allemagne ait renoncé aux pourparlers de paix en 1932, elle a commencé à poser les bases d'un véritable réarmement. La future Luftwaffe aurait été initialement équipée d'avions militaires adaptés à partir de versions civiles existantes.

En 1927, les ingénieurs de Junkers étaient responsables du développement d'un nouveau transport monomoteur majeur qui englobait l'expérience accumulée des conceptions précédentes et qui était principalement destiné au transport de charges. Comme ses prédécesseurs, le nouveau modèle Junkers Ju 52 était un Junkers typique avec un revêtement métallique en duralumin ondulé et l'aile classique «double aile Junkers». Le premier de ces avions a volé le 13 octobre 1930.

L'année suivante, l'équipe de conception de Junkers, dirigée par l'ingénieur Ernst Zindel, a commencé à évaluer et à travailler sur l'adaptation de deux moteurs sur les ailes, ce qui a conduit la septième cellule à être extraite de la chaîne de montage et convertie en prototype Junkers Ju 52/3m (3m par Dreimotoren, tri-moteur), propulsé par trois Pratt & Whitney Hornet de 550 ch, qui a fait son premier vol en avril 1931. Les performances de ce Ju 52/3mce étaient si nettement supérieures à la version monomoteur que la production de cette dernière a été décidée d'être interrompue. Le premier acheteur a été Lloyd Aereo Boliviano, qui a reçu sept avions à partir de 1932.

L'avion était disponible avec un train d'atterrissage à roues et à flotteurs. Aero O/Y (Finlande)) et Aerotranport AB (Suède) ont acquis cette dernière version, mais le Ju 52/3mce fourni à la Deutsche Luft-Hansa avait un train d'atterrissage conventionnel.

L'évaluation du potentiel militaire de ce produit par la Luftwaffe clandestine de l'époque a conduit à la construction d'une version provisoire de bombardement, le Ju 52/3mge et la Ju 52/3mg3e améliorée par la suite. La conversion de l'avion pour des missions de bombardement n'a pas modifié l'aspect habituel de l'avion et pouvait donc être rapidement fabriquée sans modifier les lignes de production existantes. La dernière version à trois moteurs radiaux propulsée par des BMW-A-3 132 de 725 ch était capable de transporter une charge interne de six bombes de 100 kg chacune et était défendue par une mitrailleuse MG15 de deux mitrailleuses de 7,92 mm en position dorsale et une position ventrale rétractable. Les livraisons du Ju 52/3mg3e à la nouvelle Luftwaffe ont totalisé environ 450 exemplaires en 1934-35. La première unité équipée d'eux était le Kampfgeschwader 152 "Hindenburg".

••••

L'HISTOIRE DE LA «TANTE Ju» (tante Ju, affectueusement surnommée par ses pilotes) ne s'est pas terminée le jour de la victoire des Alliés, lorsque seulement environ 50 machines sur les 4 835 construites restaient opérationnelles. Le principal utilisateur d'après-guerre était la France, avec près de 400 machines construites par Ateliers de Colombes Aéronautiques sous la désignation AAC 1 Toucan, dont 85 ont assuré des services commerciaux dans la période d'après-guerre avec Air France et de nombreuses autres compagnies aériennes françaises. Le Toucan a servi dans l'Armée de l'Air et l'Aéronavale, et il a été utilisé pour des missions de transport et de parachutage en Algérie et en Indochine.

En Espagne, Construciones Aeronáuticas S.A. a fabriqué 170 machines pour l'armée de l'air avec l'acronyme CASA C-352L et la désignation militaire T.2, équipées de moteurs ENMASA Beta E9C de 750 CV (BMW 132). Sa licence a été acquise en 1942 et la première machine a effectué son premier vol en 1944.

Le C-352L a pris une part active à la guerre d'Ifni en 1957-58.

Heinkel He 111

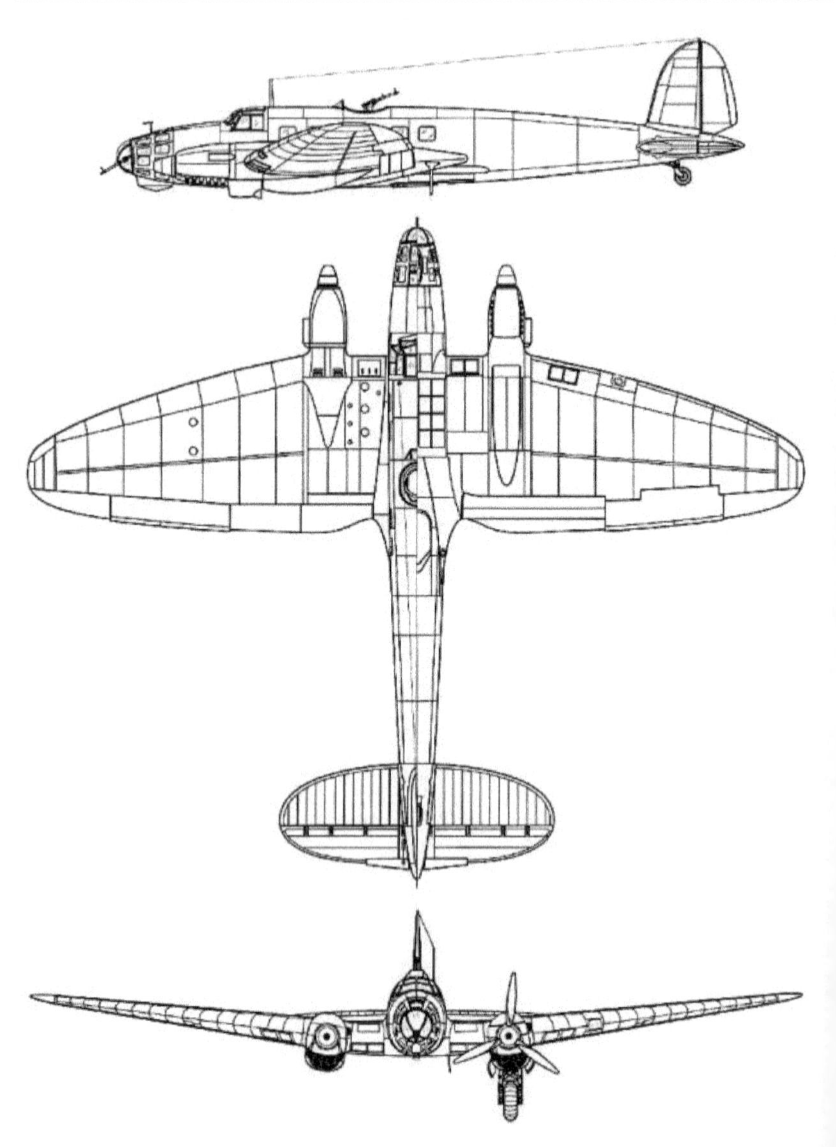

Le Heinkel He 111 était un bombardier de taille moyenne, initialement conçu comme un avion de ligne par les frères

Siegfried et Walter Günter à la demande de la Luftwaffe. Il effectua son premier vol en 1935.

Le Heinkel He 111 a été conçu comme un avion de ligne, cependant son potentiel militaire était notoire. Le premier prototype, le Heinkel He 111 V1 était une version nettement améliorée du Heinkel He 70 Blitz, équipé de deux moteurs BMW VI OZ de 600 ch qui a volé pour la première fois le 25 février 1935. Des ailes plus petites ont été adoptées dans les deuxième et troisième prototypes (He 11 He V2 V3). Le He 111 V2 était destiné à des fins civiles et au transport jusqu'à 10 voitures et sacs postaux, tandis que le V3 était le premier prototype de machine à bombarder. Avant la fin de 1936, six unités de la série 111C, dérivées du V4, étaient utilisées par Lufthansa, équipées de différents moteurs, dont le BMW 132. Début 1936, le He 111 V5 a commencé à voler, prototype de la série militaire He 111B, qui était équipé de deux moteurs Daimler Benz DB 600A de 1 000 ch. Fin 1936, les premières livraisons à une unité opérationnelle, le 1/Kg 154 Fassberg, et en février 1937 trente 111B-1 ont été utilisés dans deux escadrilles de bombardement de la Légion Condor, le Kampfgruppe K/88 qui a effectué sa première mission opérationnelle avec le nouveau modèle le 9 mars. Par la suite, la Légion Condor a commencé à recevoir la version améliorée He 111B-2 puis le He 111E-1.

Le premier prototype, He 111 V1 (W.Nr. 713, D-ADAP), a effectué son premier vol au départ de Rostock-Marienehe le 24 février 1935. Il a été suivi par les versions civiles V2 et V4, équipées en mai 1935. Le V2 (W.Nr. 715, D-ALIX) utilisait le compartiment à bombes comme "zone fumeur" avec quatre sièges et six sièges dans le fuselage arrière.

Le CASA 2.111 était un bombardier de taille moyenne dérivé du Heinkel He 111 H-16 et produit sous licence par Construcciones Aeronáuticas SA en Espagne. Les modèles 2.111 différaient de manière significative de la conception originale du Heinkel 2.111, avec un armement plus lourd et dans les dernières versions, avec des moteurs Rolls Royce Merlin 500-20.

Pendant la guerre civile espagnole, l'Espagne a reçu quelques unités du modèle He 111 B et a commencé à recevoir le modèle 111E-1 mais amélioré ; mais le besoin d'un modèle plus actuel a conduit à la signature d'un contrat entre CASA et Heinkel pour produire sous licence des unités du modèle He 111H-16. La production a rencontré quelques problèmes initiaux dus au manque d'outils appropriés, si bien que la première livraison n'a pas volé avant 1945. Une série de 200 exemplaires, dont les 130 premiers équipés de moteurs Junkers Jumo, a été construite. Les 70 restants ont été équipés de Rolls Royce Merlin 500-20 de 1 600 ch.

Le succès du Heinkel He 111 a été son plus grand malheur. Sa vitesse lui a permis d'échapper presque indemne aux chasseurs ennemis et cela a fait croire aux Allemands que de grandes flottes de ces appareils suffiraient à dévaster l'ennemi, sans se soucier de concevoir un appareil mieux armé. Ainsi, les trois premiers modèles ne portaient que 3 mitrailleuses, ceux utilisés pendant la bataille d'Angleterre avec des résultats désastreux. On les a chargés de plus en plus d'armes et de blindage. La vitesse des modèles de 1942 à 1945 ne ressemble en rien à celle des modèles de 1935-36.

Après la fin de la guerre, l'accès aux Junkers allemands qui construisaient les moteurs est devenu problématique et CASA a dû trouver une alternative au Rolls-Royce Merlin 500-20. Plus tard, entre 1953 et 1956, l'Espagne a acheté 173 moteurs Rolls-Royce Merlin et les a installés dans environ 70 He 111 encore fonctionnels. Certains de ces appareils sont apparus dans le film La Bataille d'Angleterre.

Douglas DC-3 Skytrain

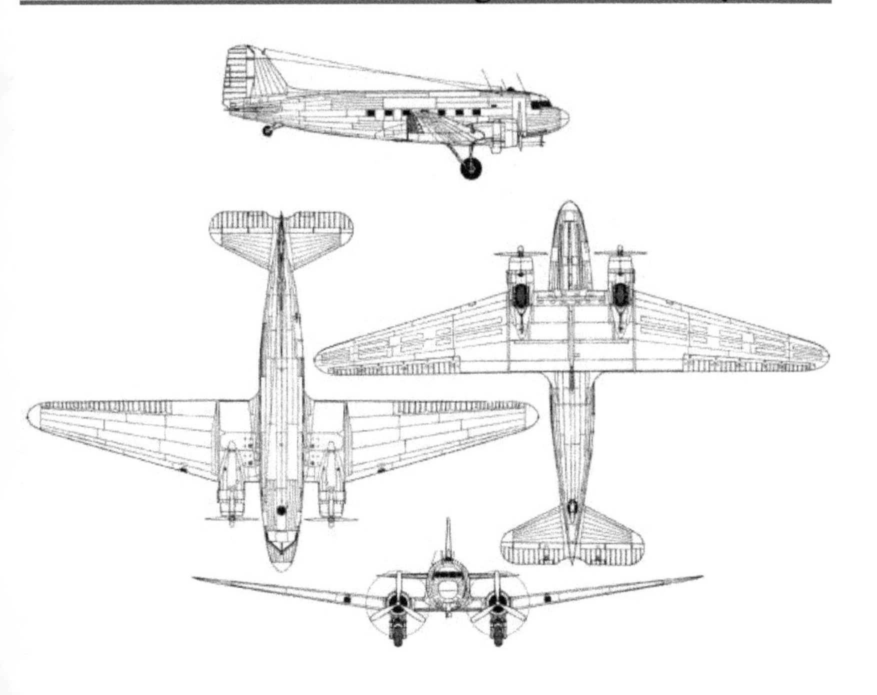

LE DOUGLAS DC-3 SKYTRAIN a révolutionné le transport de passagers entre 1930 et 1940. Il a été développé par un groupe d'ingénieurs dirigé par Arthur E. Raymond et a volé pour la première fois en 1935.

Son développement était dû en partie à la concurrence posée par l'émergence du Boeing 247 en 1933, un appareil aux caractéristiques similaires. Cependant, la gamme de services offerts par le Douglas DC-3 lui a valu sa propre place dans l'histoire.

La société Douglas a vendu 400 de ces appareils aux principales compagnies aériennes de l'époque et ils ont rapidement supplanté le train pour les voyages à longue distance aux États-Unis.

Avec cet appareil, Douglas a tenté d'inaugurer une nouvelle ère dans l'aviation civile, offrant des niveaux de confort jamais connus auparavant par les voyageurs, habitués à des espaces inhospitaliers et inaccessibles où ils pouvaient rarement dormir. Malheureusement, beaucoup de ces voyages de luxe ont disparu car les compagnies aériennes ne pouvaient pas se permettre d'offrir de telles commodités. Cependant, le sentiment de sécurité, l'immobilité de la structure et les conditions de vol de cette machine, étaient très éloignés des avions conventionnels de l'époque, donnant aux occupants un sentiment de confiance. Cela signifie que grâce à sa vitesse, son entretien, son autonomie et ses performances, le DC-3 a été le premier avion de ligne à succès commercial qui n'avait pas à sacrifier le confort de ses passagers.

Pendant la Seconde Guerre mondiale, beaucoup de ces appareils ont été convertis à des fins militaires et des milliers de variantes de cet appareil - appelés C-47, C-53, R4D et Dakota - ont été construits. Les forces armées de nombreux pays l'ont utilisé pour transporter des troupes, du fret ou comme avions sanitaires. Environ 15 000 unités ont été produites - certaines sous licence non autorisée comme le japonais Showa L2D ou le soviétique Lisunov Li-2.

Après la guerre, des milliers de ces appareils ont été reconvertis à l'usage civil. Le DC-3 est devenu l'avion standard pendant de nombreuses années pour toutes les compagnies aériennes du monde.

Parmi de nombreuses autres curiosités, il convient de souligner qu'il s'agit du seul avion à train d'atterrissage escamotable au monde capable d'atterrir sans sortir ses roues et d'endommager les surfaces ou les hélices. Cela est dû au fait que lorsque le système est rangé, il dépasse d'environ 15 pouces, car il a ses trains principaux - comme de nombreux autres appareils de l'époque - situés dans un compartiment inférieur du capot moteur. En cas de défaillance hydraulique empêchant la descente du train principal de sa position, il était possible que le sol entre en contact avec eux si les moteurs étaient arrêtés et que les hélices soient laissées dans une position en « Y » inversé. De cette façon, vous pouviez atterrir en toute sécurité, sans endommager les moteurs et sans exposer la structure.

Un autre fait curieux est que depuis l'invention du moteur à réaction, l'arrivée du jet, et l'introduction ultérieure des moteurs turbopropulseurs, divers types d'avions sont apparus avec la mission de remplacer le DC-3 en tant que principal cheval de trait du commerce, du fret et du courrier et de la jeune aviation civile privée. Cela a également été favorisé par le remplacement des moteurs en étoile comme moteurs d'avion principaux étant donné le fait que des options plus puissantes et plus fiables sont devenues disponibles telles que les turbines ou les moteurs à cylindres plus rentables et moins gourmands en carburant. Cependant, et en dépit des avantages offerts pour le transport aérien de masse par les nouvelles versions, beaucoup sont tombées dans l'oubli dans diverses circonstances, tandis que le Douglas DC-3 continue de voler dans certains pays, et il existe même des versions remotorisées turbopropulseurs. Pour beaucoup, toutes ces raisons en font le meilleur avion du XXe siècle parce que malgré tous les obstacles, il a déjà volé pendant plus de soixante-dix ans dans toutes les régions du monde, étant une icône de l'histoire de l'aviation passée et présente.

Le Douglas AC-47 Spooky a été le premier d'une série d'avions canonniers développés par l'US Air Force pendant la guerre du Vietnam. On estimait qu'il fallait plus de puissance de feu que celle fournie par les avions légers ou moyens dans certaines situations où les forces terrestres demandaient un soutien aérien.

Les spécifications techniques du Douglas DC-3 pour usage civil étaient :

- Moteurs : 2 Wright R-1820 ou Pratt & Whitney R-1830-92 Twin Wasp de 1 200 ch, 14 cylindres en étoile à deux bielles maîtresses, refroidissement par air, température réglable, et hélice tripale à pas variable et vitesse constante jusqu'à 2 500 tr/min.
- Vitesse maximale : 320 km/h.
- Autonomie : 3 420 km
- Équipage : 3
- Passagers : de 21 à 28
- Envergure : 29,11 m
- Longueur : 19,43 m
- Poids maximal : 11 800 kg
- Charge utile : environ 4 500 kg
- Train d'atterrissage : escamotable, disposition conventionnelle (deux principaux à l'avant et une "béquille de queue" à l'arrière).
- Système de drapeaux qui arrête les hélices pour les empêcher de transmettre du mouvement et de la résistance aux cylindres lorsque le moteur est arrêté.
- Train d'atterrissage et volets actionnés par des systèmes hydrauliques.
- Le seul avion capable d'atterrir avec des trains d'atterrissage rentrés sans causer de dommages importants.
- Il était équipé d'une béquille de queue assurant des décollages droits.

- Il était équipé de réchauffeurs pour chaque carburateur pour éviter un refroidissement extrême et de volets de commande pour réguler la température des têtes de cylindre dans les conditions d'altitude.

- Il disposait de systèmes avancés de pilotage automatique, tels que le maintien de cap (le pilote pouvait orienter l'avion vers un cap précis sans utiliser la colonne de direction) et le maintien du tangage, qui permettait de maintenir le nez de l'avion à un angle précis par rapport à l'horizon (maintien de l'assiette et du tangage).

- Il était à la pointe des systèmes de radionavigation ADF et VOR.

- La quantité de cylindres caractéristique des moteurs en étoile les rend extrêmement fiables car ils peuvent encore fonctionner avec plusieurs cylindres endommagés. Ainsi, les moteurs ne sont pas facilement arrêtés par ce type de défaillance.

LE SUD AVIATION SE 210 Caravelle a été le premier avion de ligne à réaction français, le premier avion à réaction court et moyen-courrier, et le seul dont les moteurs étaient montés dans le fuselage arrière.

La Caravelle est considérée comme le premier appareil à réaction vraiment satisfaisant étant donné que ses deux prédécesseurs ont souffert de plusieurs problèmes qui ont empêché leur développement. Le De Havilland Comet, par exemple, a subi une série d'accidents en vol qui l'ont conduit à être retiré du service. L'Avro Jetliner a échoué parce que son constructeur n'a pas pu suivre le volume des commandes. La Caravelle a été l'un des réacteurs les plus populaires pendant des années, étant vendue à des compagnies dans toute l'Europe et même ayant 20 appareils en service aux États-Unis.

Historique

Le 12 octobre 1951, le Comité du Matériel Civil a publié les spécifications d'un avion de moyen-courrier, qui seraient ensuite envoyées à l'industrie aéronautique par la Direction Technique Industrielle. L'agence a demandé un avion d'une capacité de 55 à 65 passagers et de 1 000 kg de fret sur des trajets jusque 2 000 kilomètres avec une vitesse de croisière moyenne de 600 km/h. Le type et le nombre de moteurs n'ont pas été spécifiés. Certains des premiers constructeurs aéronautiques français avaient l'intention de commencer à concevoir ce type d'avion mais ils n'avaient pas les finances pour mener à bien le travail.

La réponse de l'industrie française a été très positive, certains des plus grands constructeurs ayant envoyé au moins une proposition, obtenant un total de 20 conceptions différentes. La plupart des propositions utilisaient des moteurs à réaction, bien que Breguet ait présenté certains concepts à la fois avec des moteurs à réaction et des hélices. Parmi ceux-ci figurait une conception triréacteur Atar à développer en partenariat avec la SNCA du Nord ainsi qu'un autre avion à hélices connu sous le nom de Br. 978. Hurel-Dubois a présenté plusieurs avions à hélices à fuselage étroit avec des ailes hautes similaires à plusieurs avions régionaux à hélices. Les propositions de la SNCA du Sud-Ouest comprenaient le SO60 à 2 Rolls-Royce Avon RA.7 avec deux plus petits Turbomeca Marbore comme auxiliaires. La SNCA du Sud-Est a envoyé une série de concepts à propulsion à réaction, numérotés de X-200 à X-210.

Après avoir étudié les diverses propositions, le 28 mars 1952, le Comité du Matériel Civil a réduit la liste à 3 concepts : le quadrimoteur Avon/Marbore S.0.60, le bimoteur Avon Hurel-Dubois et le trimoteur Avon Sud-X-210. À ce stade, Rolls-Royce a commencé à proposer une nouvelle version du moteur Avon capable de développer une poussée de 40 000 N, rendant les moteurs auxiliaires du S.0.60 et le troisième X-210 à hélice complètement inutiles.

Le Comité a demandé à la SNCASE de redessiner le X-210 comme bimoteur Avon. Enfin, ils ont décidé de ne pas se soucier de déplacer les deux moteurs de la conception précédente qui se trouvaient à l'arrière de l'avion. Bien que la plupart des concepts présentés montaient les moteurs sous les ailes pour un poids total inférieur, la SNCASE a pensé que les économies qu'elle réaliserait ne valaient pas l'effort. Cela allait devenir un avantage pour la conception, car cela réduisait de manière significative le bruit dans la cabine. Le projet révisé du X-210, désormais bimoteur Avon, a été transmis au SGACC en juillet 1952.

Deux mois plus tard, la SNCASE a reçu la notification officielle que sa conception avait été acceptée. Le 6 juillet 1953, le SGACC avait construit deux prototypes et deux maquettes statiques à l'échelle pour les essais de fatigue des matériaux. Le fuselage conçu par Sud reflétait beaucoup les idées du défunt réacteur De Havilland, une société avec laquelle Sud avait traité sur plusieurs conceptions auparavant. Le nez et le cockpit ont été directement copiés du De Havilland Comet, tandis que le reste de l'appareil a été redessiné.

Le premier prototype est né le 21 avril 1955 et a volé pour la première fois le 27 mai. Le deuxième est apparu un an plus tard, le 6 mai 1956. Le premier prototype avait une trappe de chargement sur le côté gauche inférieur du fuselage, mais celle-ci a été éliminée dans le second, qui était entièrement un avion de ligne passagers. La première commande a été passée par Air France en 1956, suivie par SAS en 1957. Cette année-là, Sud-Est a fusionné avec Sud-Ouest pour devenir Sud Aviation, bien qu'ils aient conservé la dénomination d'origine SE. D'autres commandes ont suivi les premières, principalement grâce à des présentations lors de salons aéronautiques et à des démonstrations à des clients potentiels. La Caravelle a été certifiée pour le vol en mai 1959 et est entrée peu après en service dans les flottes de SAS et Air France.

L'émergence de nouveaux moteurs plus puissants a permis la création de machines avec une masse au décollage accrue. Par conséquent, une grande partie du bureau d'études de Sud Aviation s'est engagée dans la conception d'un avion supersonique de la même taille et de la même portée que la Caravelle, et ils l'ont appelée, naturellement, Super-Caravelle. Cependant, tous ces travaux seraient plus tard consolidés avec un projet similaire du constructeur britannique BAC (Bristol Aeroplane Company) dans le Concorde. Dans certaines configurations, l'avion avait un certain nombre de sièges disposés à contre-sens du vol, chose rare sur les avions civils.

Au total, 279 Caravelles ont été construites dans tous les types de modèles, battant le record de production maximale d'un avion Sud Aviation, qui était de 200 unités. La Caravelle a donc été le premier avion à rapporter des bénéfices, ce qui n'allait pas se reproduire avant les années 70.

- Les premiers clients du continent latino-américain étaient du Venezuela. Plusieurs compagnies aériennes du pays ont exploité des avions Caravelle : Avensa, Vyasa et Aeropostal. Plus tard, d'autres compagnies aériennes d'Amérique latine ont acquis des avions Caravelle d'occasion, comme ce fut le cas de San et Saeta en Équateur.

- World Airline Fleets News a rapporté en septembre 2004 que le dernier modèle Caravelle 11R encore en service et immatriculé 3D-KIK a été perdu après un accident sur l'aéroport de Gisenyi, au

Rwanda le 28 août 2004. Il volait de Kinshasa à Goma en République démocratique du Congo lorsque pour des raisons inconnues, il a tenté d'atterrir sur l'aéroport voisin de Gisenyi. Malheureusement, la piste était trop courte.

- En 1967, LAN Chile a inauguré avec la Caravelle la première route vers l'île de Pâques, marquant une étape dans l'histoire de l'aviation, car il s'agissait de la première route commerciale reliant l'île au continent sud-américain. Un an plus tard, elle a étendu cette route à Tahiti et à la Polynésie française.

- Le numéro de mai 2005 d'Airliner World, dans son article spécial sur le 50e anniversaire de la Caravelle, mentionnait qu'il y avait deux appareils prêts à voler. Tous deux sont en Afrique, probablement à Kinshasa, mais il semble qu'on ne les verra pas de sitôt dans le ciel.

- La première Caravelle peinte avec la livrée United Airlines se trouve actuellement à l'aéroport international de Port Columbus à Columbus (Ohio). Cet appareil n'a jamais volé pour la compagnie mais il l'a fait lors du salon aéronautique de Paris en 1957 avec les couleurs des États-Unis pour promouvoir la vente de la machine à la compagnie. Cet avion a volé pendant des années au Brésil avant d'être acquis par un prestataire de services de fret aérien à Londres (Ohio) en 1979. En 1982, il a été donné au Musée d'histoire de l'aviation de l'Ohio situé à l'aéroport international de Port Columbus, après avoir été exposé à l'extérieur du Musée pendant quelques années. Le musée a fermé en 1995 et la Caravelle a été donnée à l'Autorité portuaire de Columbus, qui l'a amenée sur une piste isolée. En 1998, le service d'incendie de l'aéroport a commencé à l'utiliser pour former les pompiers aux incendies. Aujourd'hui, l'avion reste près du coin sud-est de l'aéroport dans des conditions épouvantables.

- Une Caravelle non motorisée est garée sur le gazon de l'aéroport de Rennes en France, près du bâtiment Yankee Delta. Son état est médiocre.

- Une autre Caravelle se trouve à l'aéroport Stockholm Arlanda en Suède. Ses moteurs sont entretenus et son système hydraulique lubrifié chaque mois. L'avion appartient au "Caravelle Club".

McDonnell Douglas DC-10

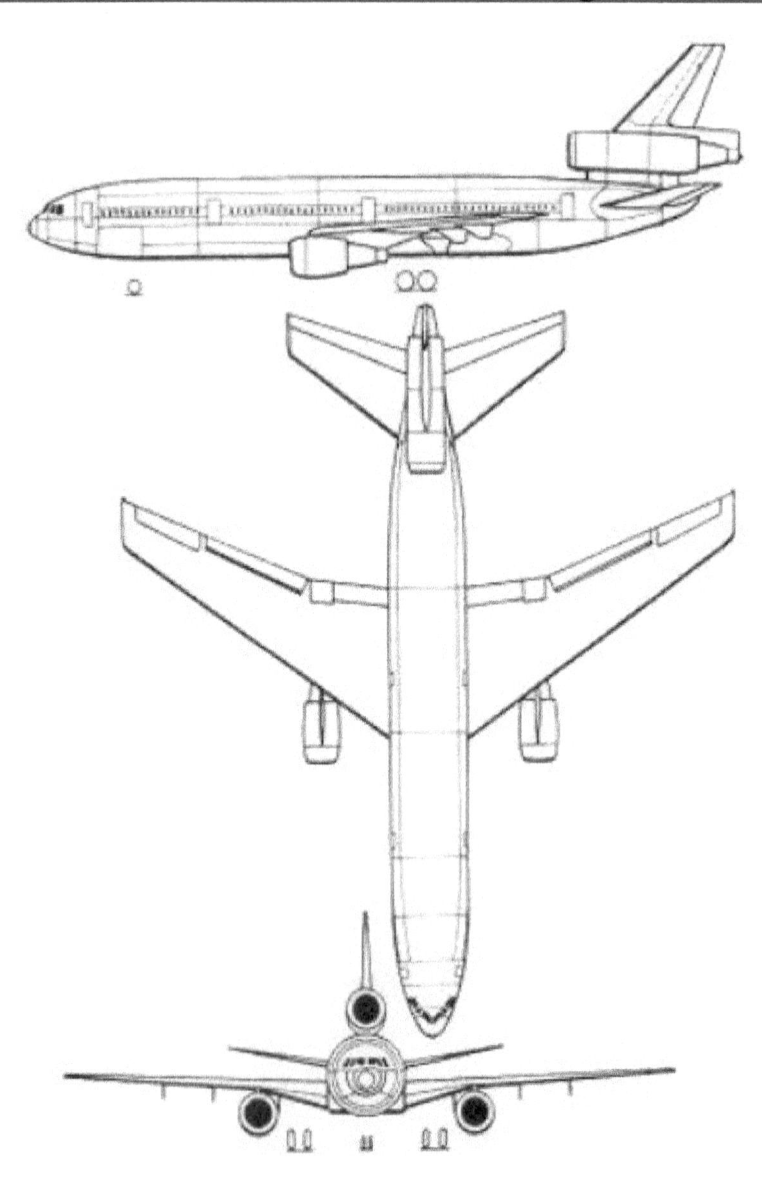

LE DC10 EST UN AVION de ligne gros-porteur fabriqué par la société américaine McDonnell Douglas. C'était le deuxième avion de cette taille à entrer en service après le Boeing 747, et peu avant le Lockheed L-1011 TriStar, et tout comme lui, le DC-10 a une configuration à trois moteurs.

Il y a deux moteurs situés dans des nacelles sous les ailes tandis qu'un troisième se trouve à l'arrière du fuselage, sous le stabilisateur vertical. Il a été conçu comme successeur du Douglas DC-8 sur les vols long-courriers, et pour le moyen-courrier il était en concurrence avec l'Airbus A300, le Boeing B747 et le Lockheed L-1011 TriStar, qui était très similaire au DC-10. Certains ont été construits comme avions ravitailleurs pour l'United States Air Force à des fins de ravitaillement en vol, et sont devenus connus sous le nom de KC-10 Extender.

Le DC10 a été le premier gros-porteur de taille plus réduite conçu par McDonnell Douglas pour desservir les mêmes routes que le B747. Il a effectué son premier vol le 29 août 1970 et est entré en service en 1971, un an avant le Lockheed Tristar, qui était son principal concurrent. Bien que la sécurité de ce modèle soit similaire à celle des autres gros porteurs à réaction, dans les années 1970, la Federal Aviation Administration (FAA) américaine a brièvement retiré leur certificat de navigabilité en raison d'un certain nombre d'accidents très controversés.

Le DC10 a été conçu avec des portes de soute s'ouvrant vers l'extérieur au lieu de l'intérieur comme la plupart des autres avions. Cela nécessitait un mécanisme de verrouillage complexe empêchant l'ouverture de la porte en raison des forces axiales provoquées par la pressurisation du fuselage. En cas de défaillance de la fermeture, la porte entière se briserait probablement. Ce problème a d'abord été identifié en 1972 lorsque le vol 96 d'American Airlines a perdu la porte arrière de la soute au décollage de Détroit. Heureusement, l'équipage a réussi à effectuer un atterrissage d'urgence sans autre complication. L'enquête a révélé qu'un employé d'aéroport avait violemment forcé la porte, rompant le joint d'étanchéité, et cela a provoqué la chute de la porte lorsque l'avion a pris de l'altitude. McDonnell Douglas a critiqué l'employé, l'appelant illettré, détournant ainsi les critiques des défauts de conception de l'avion.

Le National Transportation Safety Board (NTSB) américain a recommandé des modifications de la conception de la porte et que le plancher de la cabine soit percé en cas de dépressurisation violente pour permettre une fuite d'air contrôlée. Cependant, le NTSB n'avait pas le pouvoir d'imposer des changements - seule la FAA pouvait émettre des instructions. Étant donné qu'une directive publique de la FAA aurait gravement endommagé la réputation du nouveau DC10, McDonnell Douglass a apporté toutes les modifications en privé pour éviter tout scandale potentiel.

Cependant, les améliorations mises en œuvre n'étaient pas aussi strictes que les recommandations du NTSB. Deux ans plus tard, un accident identique est survenu sur un modèle de Turkish Airlines au décollage d'Orly (Paris), tuant les 346 passagers. Après cet accident, tous les DC10 ont été contraints de modifier leurs portes mais à ce stade, l'avion s'était déjà forgé une très mauvaise réputation.

En 1979, de nombreux DC10 ont été immobilisés en raison de l'accident du vol 191 d'American Airlines, qui a perdu l'un de ses moteurs au décollage de l'aéroport international O'Hare (en banlieue de Chicago). En conséquence, le système hydraulique de l'avion a été endommagé et a provoqué la perte de contrôle de l'appareil. Il a été déterminé comme étant une erreur de procédure dans la maintenance de l'avion. American Airlines, comme de nombreuses autres compagnies, utilisait une procédure qui n'était approuvée ni par Douglas ni par la FAA, ce qui a provoqué la défaillance. Douglas a redessiné le système hydraulique en ajoutant des redondances pour éviter les défaillances futures.

Mais l'accident le plus célèbre s'est produit en 1989, lorsque le vol 232 de United Airlines s'est écrasé à Sioux City, après un atterrissage d'urgence avec des systèmes hydrauliques hors service. L'appareil a été complètement détruit mais plus de la moitié des passagers ont survécu. L'accident a mis en évidence, ironiquement, l'une des mesures de sécurité les plus notoires du DC10 puisqu'il s'agit du seul avion capable de voler à vitesse très réduite sans utiliser le gouvernail de direction, les ailerons et les volets. Après la défaillance du système hydraulique, les pilotes ont été capables d'"atterrir" l'avion.

Le tout dernier DC10 jamais fabriqué, le numéro 446, a été livré à Nigeria Airways au début de 1989. Malgré les débuts difficiles de cet appareil, de nombreuses compagnies aériennes l'ont utilisé car les pilotes et les mécaniciens l'appréciaient. Il était également très sûr - en fait, la durée de vie moyenne de

Boeing 747 Jumbo

VOICI LA TRADUCTION professionnelle en français de France du texte fourni :

Le Boeing 747, surnommé couramment « Jumbo », est un avion de ligne gros-porteur transcontinental fabriqué par Boeing. Connu pour sa taille impressionnante, il fait partie des avions les plus reconnaissables au monde. Il a effectué son premier vol commercial en 1970, étant alors le tout premier avion gros-porteur. Son rival le plus proche est l'encore plus gros Airbus A380.

• • • •

LES QUATRE TURBORÉACTEURS du 747 sont produits par Pratt & Whitney, dont la référence JT-9D a d'abord été utilisée par cet avion et a ensuite été appliquée à d'autres avions gros-porteurs comme le Douglas DC-10. Son étage frontal du second pont a fait du 747 une icône hautement reconnaissable du transport aérien. Une disposition typique en 3 classes accueille un maximum de 416 passagers, tandis qu'une disposition en deux classes accueille un maximum de 524 passagers. Le 747-400, la dernière version en service, vole à des vitesses subsoniques de Mach 0,85 (environ 913 kilomètres par heure), et offre un rayon d'action intercontinental de 7 260 milles nautiques (13 446 kilomètres).

Il devait devenir obsolète après la vente de ses 400 premières unités mais l'avion a survécu à toutes les attentes et surmonté toutes les critiques, la production atteignant 1 000 unités en 1993. En juin 2007, 1387 appareils avaient été construits, avec 120 autres en diverses configurations sur commande. Le tout dernier développement de cet avion, le 747-8, devrait voler en 2010, Lufthansa étant le client de lancement.

Le 747 est l'un des avions qui attire le plus l'intérêt du public puisque la soi-disant Reine des Cieux a permis à des millions de personnes de voyager à l'international. De plus, il a aussi été le premier avion civil gros-porteur - ainsi que le plus long et le plus lourd - et le pionnier dans l'utilisation de turboréacteurs à fort taux de dilution moins polluants et bruyants que les turboréacteurs classiques.

Le prince saoudien Al-Walid ben Talal Al Saoud a été le seul propriétaire privé de l'un de ces avions.

Le 747 a été conçu lorsque les voyages intercontinentaux augmentaient dans les années soixante, une décennie communément appelée l'âge d'or de l'aviation. Cette nouvelle ère du transport aérien commercial à réaction a été rendue possible grâce à l'énorme popularité du Boeing 707 et du Douglas DC-8, des machines qui ont révolutionné les voyages sur de longues distances. Après avoir perdu le contrat CX-HLS, Boeing a été pressé par Juan Trippe, président de Pan Am (Pan American World Airways) - l'un de ses plus gros clients -, de construire un avion de ligne doublant la capacité du Boeing 707. Durant cette période, la congestion des aéroports, aggravée par le nombre croissant de passagers devant être transportés dans des avions relativement petits, est devenue un problème sérieux que Trippe pensait pouvoir résoudre avec un appareil beaucoup plus grand.

En 1965, Joe Sutter a été transféré de l'équipe de développement du Boeing 737 pour superviser la recherche sur un nouvel avion de ligne, dont le numéro avait déjà été attribué - 747. Sutter a lancé une étude de conception avec Pan Am et d'autres compagnies aériennes pour mieux comprendre les besoins des clients. À l'époque, on pensait qu'un avion de ligne supersonique tel que le 747 deviendrait facilement obsolète. Boeing a répondu en concevant le 747 de sorte qu'il puisse facilement être adapté en tant que cargo, et sa production resterait justifiable si ses ventes en tant qu'avion de ligne déclinaient. En tant que cargo, le besoin le plus imminent était de transporter des conteneurs qui utiliseraient les méthodologies d'expédition maritime qui avaient été introduites une décennie auparavant et étaient clairement devenues la nouvelle solution pour l'industrie du fret. Les conteneurs standard mesuraient 8 x 8 pieds (2,4 x 2,4 m) dans la partie frontale (légèrement plus hauts si l'on inclut les points de fixation) et avaient une longueur allant de

20 à 40 pieds (6 à 12 m). Cela signifiait qu'il était possible d'introduire deux conteneurs de front et empilés les uns sur les autres avec deux ou trois d'entre eux vers le bas, en tenant compte des exigences du premier projet CX-HLS.

En avril 1966, Pan Am a commandé vingt 747-100, pour une valeur de 525 millions de dollars US. Lors de la cérémonie de signature du contrat du 747 qui a eu lieu à Seattle pour le 50e anniversaire de Boeing, Juan Trippe a prédit que le 747 serait « une grande arme pour la paix mondiale et qu'il rivaliserait avec les missiles intercontinentaux dans le destin de l'humanité », selon Malcolm T. Stamper, l'un des directeurs du programme 747. En tant que client de lancement, et en raison de leur influence avant de passer une commande formelle, Pan Am avait le pouvoir d'influencer la conception et le développement du 747 au-delà de toute compagnie aérienne auparavant ou aujourd'hui.

A propos de l'auteur

Francisco Angulo de Lafuente est un auteur espagnol né à Madrid en 1976. En tant que passionné de cinéma et de littérature de fantasy, Angulo a été un fan de longue date d'écrivains influents comme Isaac Asimov et Stephen King. Cette passion pour la science-fiction spéculative et la fantasy a inspiré Angulo dès son plus jeune âge à poursuivre sa propre carrière littéraire en soumettant des nouvelles à des concours.

À seulement 17 ans, Angulo a terminé sa première œuvre littéraire majeure - un recueil de poèmes originaux. Animé par le désir de publier ses écrits, il a commencé à soumettre ses textes récents à diverses maisons d'édition espagnoles. Loin de se laisser décourager par les réponses extrêmement négatives des éditeurs dédaigneux au début de sa carrière, Angulo a persisté avec détermination, utilisant les lettres de refus comme motivation pour continuer à améliorer son art et créer de nouvelles œuvres à soumettre.

En 2006, une décennie après avoir commencé à poursuivre activement la publication, Angulo a publié de façon indépendante son premier roman "La Relique" - un conte d'aventure de science-fiction bien accueilli par les lecteurs et qui a aidé à établir la réputation d'Angulo en tant qu'auteur émergeant. Enhardi par ce premier succès, il a ensuite publié des projets plus ambitieux à travers différents genres, cimentant sa polyvalence en tant qu'écrivain.

En 2008, Angulo a publié l'essai de non-fiction "Ecofa", relatant ses expériences éducatives en travaillant sur un projet de recherche innovant axé sur la production de biocarburants à partir de déchets organiques. Passant à la fiction en 2009, il a écrit "Kira et la tempête de glace" - un drame incorporant des éléments de fantasy, de mystère et de romance. 2010 s'est avéré être une année particulièrement exigeante mais productive pour l'écriture d'Angulo, alors qu'il a réussi à terminer le livre scientifique "Eco-fuel-FA" entièrement en anglais ainsi que plusieurs autres œuvres littéraires en espagnol.

Toujours prolifique au début des années 2010, Angulo a continué à publier de nouvelles fictions telles que le drame dystopique "Compagnie N°12", le macabre "Lázaro RIP 2013", le roman d'invasion extraterrestre "Les Envahisseurs L'Invasion a Commencé 2014", et le roman d'horreur "Freak Le Cirque des Horreurs 2015". Sa production s'est également étendue pour inclure plus de fiction historique romantique comme "Un mariage gitan et des funérailles écossaises 2016", de l'aventure en temps de guerre avec "S'échappant de l'Enfer 2017", et du drame d'apprentissage dans "Étoiles filantes dans le ciel d'été 2018". Faisant preuve d'une remarquable constance, Angulo a publié le thriller d'espionnage "Commandante Valentina Smirnova" en 2019, marquant plus d'une décennie de productivité littéraire diversifiée.

Au-delà de sa carrière d'écrivain, Angulo a contribué de manière significative à la recherche dans le domaine des sciences de l'environnement. En tant que directeur du projet Ecofa, il a été le pionnier du développement d'un biocarburant de 2ème génération innovant dérivé de bactéries capables de décomposer durablement les déchets organiques. Cette expertise scientifique se reflète dans les innovations technologiques notables et les avancées futures spéculatives référencées dans bon nombre des œuvres de science-fiction d'Angulo, reflétant la façon dont des auteurs légendaires comme Jules Verne ont mêlé connaissances technologiques réelles et imagination.

Avec maintenant plus d'une douzaine de romans couvrant la fantasy, l'horreur, la romance, les thrillers et plus encore, Francisco Angulo a prouvé qu'il était un auteur polyvalent capable de captiver les lecteurs à travers les genres. Sa persévérance face aux premiers rejets et l'éthique de travail acharné qui lui permet de produire de multiples romans complexes année après année témoignent de la détermination et de la passion d'Angulo pour la narration. Combinées à ses accomplissements scientifiques, ces qualités ont consolidé la réputation d'Angulo en Espagne en tant qu'homme de la Renaissance contemporain et visionnaire spéculatif ouvrant de nouvelles voies à la fois en littérature et en recherche environnementale.

Bien qu'Angulo ait sans aucun doute assuré sa place parmi les grands de la littérature espagnole, son esprit indépendant et son adoption des nouvelles tendances numériques suggèrent que sa carrière non conventionnelle et sa bibliographie éclectique continueront d'évoluer dans de nouvelles directions. Mais que ce soit en explorant des mondes d'un futur lointain ou en se plongeant dans la fiction historique, l'imagination incroyable et l'ambition d'Angulo restent constantes. Tout comme ses propres inspirations littéraires de jeunesse, la créativité audacieuse et la curiosité de Francisco Angulo offrent des possibilités infinies alors qu'il avance vers l'avenir, assurant son impact substantiel sur les lettres espagnoles pour les décennies à venir.

Did you love *Destination La Havane*? Then you should read *Commandante Valentina Smirnova*[1] by Francisco Angulo de Lafuente!

[2]

Avec « Commandante Valentina Smirnova », Francisco Angulo nous offre une plongée passionnante dans l'Espagne des années 1930, en pleine tourmente de la guerre civile. L'auteur, grand amateur de littérature fantastique et de cinéma, notamment d'Isaac Asimov et Stephen King, publie ici son premier roman historique, après avoir conquis le public avec des recueils de nouvelles de science-fiction.

Dès les premières pages, on est happé par le destin hors du commun de l'héroïne éponyme, jeune aviatrice russe venue se battre dans le ciel de la péninsule ibérique. Avec un sens du détail et un souci du réalisme remarquables, Angulo reconstitue le quotidien des combattants

---

1. https://books2read.com/u/3nBXWK

2. https://books2read.com/u/3nBXWK

républicains, la technologie rudimentaire de l'époque, l'atmosphère de danger permanent.

Mais au-delà du tableau historique vivant, c'est avant tout un magistral portrait de femme que nous offre ici l'auteur. Valentina est un personnage d'une force et d'une modernité saisissantes, un esprit indomptable qui s'élève contre les diktats d'une société corsetée.

Angulo excelle dans l'art de mêler avec brio l'intime et le collectif, la grande et la petite histoire. Soutenu par une documentation fouillée, son talent de conteur donne chair à cette période charnière du XXe siècle espagnol.

Un roman d'aventures haletant porté par une héroïne inoubliable, « Commandante Valentina Smirnova » est une lecture passionnante autant qu'instructive qui ravira les amateurs d'histoire comme les simples amoureux des belles histoires.

Marie Curie isolant le radium et le polonium dans son petit laboratoire de la rue Lhomond. Avec des éprouvettes de matériaux radioactifs dans ses poches. Affrontant les clichés sociaux de son époque. On raconte qu'on a tenté de lui refuser son deuxième prix Nobel, pour ne pas avoir mené une vie sentimentale convenable, correcte aux yeux de ses contemporains.

Un siècle plus tard, il est très difficile, voire impossible, de se mettre dans le contexte de l'époque. C'est pourquoi, loin de toute étiquette politique, il faut admirer le courage de ces femmes qui s'opposaient à l'establishment. Endoctrinées dès l'enfance dans une culture et une société machistes où le mieux auquel elles pouvaient aspirer était de devenir l'épouse d'un riche commerçant ou le bras droit d'un aristocrate. Je ne suis même pas capable d'imaginer d'où vient cette flamme intérieure qui transforme une petite fille instruite en couturière, brodeuse et autres tâches ménagères en dirigeante révolutionnaire ou en aviateur, combattant dans le ciel de l'Espagne à bord d'un chasseur Polikarpov I-16.

Read more at https://twitter.com/Francisco_Ecofa.

Also by Francisco Angulo de Lafuente

Eco-fuel-FA (ECOFA) A viable solution

El Olfateador нюхальщик

Kira y la Tormenta de Hielo

Los Mejores (The Best)

То,что Вы не должны делать ,чтобы стать писателем

��������� �������

Compañía Nº12

Destino La Habana - Destination Havana

EL OLFATEADOR

La leyenda de los Tarazashi

LÁZARO RIP

Estrella fugaces en el cielo de verano

Commander Valentina Smirnova

Escapando del Infierno

Comandante Valentina Smirnova

Freak - El Circo de los Horrores

INVADERS La invasión ha comenzado

The Sniffer

Una boda gitana y un funeral escocés

Freak - The Circus of Horrors

Escaping from Hell

Shooting Stars in the Summer Sky

Cosas que no debes hacer si quieres ser escritor

Destination Havana

The Relic

Invaders the Invasion Has Begun

Lazarus - rip

Kira and the Ice Storm

The Best

The Legend of the Tarazashi

Commandante Valentina Smirnova

La Relique

Dinge die Du nicht tun solltest, wenn Du Schriftsteller werden willst

Eco-fuel-FA (ECOFA) second generation biofuel

El Olfateador

La Reliquia

Lázaro Project

A Gypsy Wedding and a Scottish Funeral

Company N12

������

Choses à ne pas Faire si Vous Voulez Devenir Écrivain

Things You Shouldn't Do if You Want to Be a Writer

Coisas que não Deves Fazer se Queres ser Escritor

Cose che non Devi Fare se Vuoi Diventare uno Scrittore

Things You Shouldn't Do if You Want to Be a Writer

Rzeczy, Których nie Należy Robić, Jeśli Chcesz Zostać Pisarzem

Der Schnüffler

S'échappant de l'Enfer

Étoiles Filantes Dans le Ciel D'été

Destination La Havane

Watch for more at https://twitter.com/Francisco_Ecofa.

About the Author

Francisco Angulo Madrid, 1976

Enthusiast of fantasy cinema and literature and a lifelong fan of Isaac Asimov and Stephen King, Angulo starts his literary career by submitting short stories to different contests. At 17 he finishes his first book - a collection of poems – and tries to publish it. Far from feeling intimidated by the discouraging responses from publishers, he decides to push ahead and tries even harder.

In 2006 he published his first novel "The Relic", a science fiction tale that was received with very positive reviews. In 2008 he presented "Ecofa" an essay on biofuels, whereAngulorecounts his experiences in the research project he works on. In 2009 he published "Kira and the Ice Storm".A difficultbut very productive year, in2010 he completed "Eco-fuel-FA",a science book in English. He also worked on several literary projects: "The Best of 2009-2010", "The Legend of Tarazashi 2009-2010", "The Sniffer 2010", "Destination Havana 2010-2011" and "Company No.12".

He currently works as director of research at the Ecofa project. Angulo is the developer of the first 2nd generation biofuel obtained from organic waste fed bacteria. He specialises in environmental issues and science-fiction novels.

His expertise in the scientific field is reflected in the innovations and technological advances he talks about in his books, almost prophesying what lies ahead, as Jules Verne didin his time.

Francisco Angulo Madrid-1976

Gran aficionado al cine y a la literatura fantástica, seguidor de Asimov y de Stephen King, Comienza su andadura literaria presentando relatos cortos a diferentes certámenes. A los 17 años termina su primer libro, un poemario que intenta publicar sin éxito. Lejos de amedrentarse ante las respuestas desalentadoras de las editoriales, decide seguir adelante, trabajando con más ahínco.

Read more at https://twitter.com/Francisco_Ecofa.

Milton Keynes UK
Ingram Çontent Group UK Ltd.
UKHW041052290923
429627UK00001B/99